新编文史笔记丛书

萧乾 主编

第二辑

21

孤山拾零

谭建丞题

浙江省文史研究馆 编

杨炳 洪昌文 主编

中華書局

目录

名人轶事

文教集萃

艺文掇拾

艺苑趣闻

文物拾零

湖山史迹

民俗风情

社会百态

往事漫忆

序

萧 乾

读书界向来对野史有所偏爱。野史大多是信手拈来的历史片断,且往往出自亲历者之手。文直事核,不虚美,不隐恶,而文笔潇洒自如,意味隽永,自然朴实,篇幅不长;可以摊开来仔细咀嚼,也可供茶余酒后、行旅倥偬中,随手浏览。

鲁迅在《华盖集》中,曾几次对野史表示过好感。在《忽然想到》一文中写道:"历史上都写着中国的灵魂,指示着将来的命运,只因为涂饰太厚,废话太多,所以很不容易察出底细来。正如通过密叶投射在莓苔上面的月光, 只看见点点碎影。但如看野史和杂记,可更容易了然了,因为他们究竟不必太摆史官的架子。”又在同书《这个与那个》一文中说:“野史和杂说自然也免不了有讹传,挟恩怨,但看往事却可以较分明,因为它究竟不像正史那样地装腔作势。”

全国文史研究馆所编的《新编文史笔记》丛书,内容也属野史杂说的范畴。我们希望这些以亲闻、亲见、亲历为主的轶事掌故、琐闻杂记,写人、事而摒除误会曲解,述历史而符合真实面目。

作为一种短隽有味,文字清奇而又雅俗共赏的文学体裁,笔记在中国具有悠久的传统。它始自魏晋,盛行于宋代。南朝刘义庆的《世说新语》,北宋沈括的《梦溪笔谈》,南宋陆游的《老学庵笔记》,明朝张岱的《陶庵梦忆》,清朝纪昀的《阅微草堂笔记》以及20世纪30年代初丰子恺的《缘缘堂随笔》,都是文学史上的奇葩。然而,近年来笔记乏人问津。因此,我们出这一套书,也包含着挽回颓势之意。

全国三十二所文史研究馆拥有雄厚的稿源,两千多位馆员和各馆联系的社会人士,都是丛书的撰稿人。他们都是文史界的耆宿,见多识广,阅历丰富:有的反对过帝制,有的在“五四”运动中扛过大旗,他们目睹过军阀的横行霸道,也经历过艰苦卓绝的八年抗战。这些历尽沧桑的饱学之士,他们的所见所闻,都是弥足珍贵的史料。

本丛书分辑出版，分别由各地文史研究馆编辑，内容亦以本乡本土为主。因此，各册势必具有浓厚的地方色彩。

本着笔记固有的传统，所收各文题材不嫌庞杂。举凡与文史有关的政治、经济、军事、文化、社会等方面，或记闻见杂事，或叙往昔交游，或忆社会百态，均在搜罗之列。时间跨度则自清末以迄1949年为止。这正是中华民族从闭关自守到走向世界，从落后羸弱到奋发图强，是天翻地覆、风起云涌的大半个世纪。其间，发生过多少可歌可泣的事迹，涌现过多少杰出的人物。以这一时间跨度为背景题材写出的笔记作品，必然是内容最为丰厚的。

在选稿标准上，我们坚持史料一定要真，内容要新；既要防止以讹传讹，也力避炒冷饭。在写法上务求短小精悍、生动活泼。每篇以千字为度，希望借此在文风方面，提倡一下简约。在版式上，则想做到既利于阅读，又便于携带。

恳切希望文史界方家及广大读者，不吝赐正。

政坛风云

慈禧为何重用王文韶

陈觉民 遗稿

王文韶(1830—1908),浙江仁和人,是晚清时继李鸿章后,入阁拜相恩眷最隆的人。他于光绪二十四年(1898)以户部尚书、协办大学士入值军机处,后晋体仁阁大学士,转文渊阁大学士,又转武英殿大学士,在汉人中可说是恩宠备至的了。王文韶为什么能如此得到慈禧的宠信呢?除了其他的原因外,八国联军可帮了他的忙。

光绪二十六年(1900)旧历七月十七日,八国联军破通州,向北京进犯。十九日晚上炮声及于大清、西华、朝阳等门,慈禧就有逃离北京的打算。二十日，从早晨起一天内召见王公大臣五次，到的人数一次少于一次，最后一次只到了王文韶、刚毅、赵舒翘三个人。到了这个凄凉的境地，慈禧太后也不禁泪流满面了。

王文韶急匆匆地到军机处携取了印钥，再回到宫里，慈禧太后早已挟同光绪皇帝乘车出德胜门西去了。于是王文韶和他儿子王稚夔一路去找轿子，准备赶上慈禧和光绪，但在这人心惶惶的时候，哪里有轿子可找。王文韶父子俩就徒步追上去，道路崎岖，很不好走，追了三天，总算在怀来县里见到了慈禧太后和光绪皇帝。这时王文韶的两脚都肿了。

慈禧太后当时见到王文韶徒步赶到，因此时王氏已七十一岁了，同时也联想到满朝文武各自逃生，独他追踪前来，因此非常感动，就在身上解下一块小小的佩玉，赐与王文韶。这块“佩玉”似玉而分量觉轻，有些像琥珀，后经京中一位老年识玉专家鉴定说是“脱胎”。他并说：“这是玉中之王，它原是一块羊脂白玉，入土以后经过数百年受了尸气。出土后，又佩在生人身上百年。再入土，再出土。经过这样的入土出土两三次以上，才成为这个样子，哪里是一般玲玉所可比拟！如果拿一碗水来，把它放进去，可使整碗水通红。我做了五六十年的古董店倌也没有见到过，还是听我师父说的。现在亲自看到，可谓眼福不浅。”后来王文韶死了，把此玉带入棺中。

战争一时不能平息，慈禧和光绪又向西逃到

了西安，当然王文韶也随同西进。在这一段时期里，载漪、刚毅因开罪洋人，已经失宠，所有一切对内对外的事情，都交由王文韶一人独自办理。是年冬，王文韶晋体仁阁大学士。

光绪二十七年(1901)农历八月，慈禧太后和光绪皇帝自西安启程回北京，王文韶也扈驾东还，命署全权大臣，会办东三省中俄条约以及和约未尽事宜。转文渊阁大学士，又赏穿黄马褂，戴双眼花翎。光绪二十八年(1902)，又转武英殿大学士。这时候李鸿章已死，王文韶和庆亲王奕劻与各国代表们谈判当时李鸿章留下的一切外交未了事宜。弱国无外交，清朝是战败国，折冲尊俎，煞费心力，加上庆亲王奕劻是满人，外国代表又不信任他，因此差不多一切交涉事务都是由王文韶一身承当。

戊戌政变，黄绍箕通知康有为出走

王超六 遗稿

康有为于光绪十四年(1888)初游京师，遍上书变法，贵人无所达。时瑞安黄绍箕(字仲弢)任武英殿纂修、国史馆协修，毅然将其万言书递交国子监祭酒盛昱，请盛转呈都察院。由于康有为

矢志不移,上书终于 1895 年上达。故康有为在其编《年谱》云:“发愤上书万言,极言时艰,请及时变法。黄仲弢编修绍箕,实左右其事。”后康有为的变法主张得到光绪帝的支持与采纳,但遭到慈禧的反对。经过了三年的斗争,顽固派终于发动政变。

戊戌(1898)九月十八日晚,事变将作。康有为在《年谱》中云:“黄仲弢戒以事变作,荣禄将谋害我,劝易装出山东,勿经天津。”次日凌晨,康有为潜离北京逃出,从塘沽搭英商太古轮船赴香港,无法追捕,得以不死。康有为说:此次出京,若无仲弢之告,宿天津必死;从仲弢之言,出烟台必死。因追骑四至,如在天津停留,就会遭杀害;但若完全照黄绍箕的劝告,走山东出烟台,途中也会被捕。

康有为出逃,梁启超亦亡命日本,六君子被难。黄绍箕自知会被株连,家人惶恐万分,多方设法。有太监果来检查门簿登记来往宾客者,乃饷以白银三千两,诿以从弟黄绍第之门簿呈验,事遂懈。

章太炎因室咒“袁消”

邹立人

章太炎于 1913 年 8 月 11 日抵北京后不

久，即以“大勋章为扇坠，临大总统之门，大诟袁世凯之包藏祸心”，被袁世凯幽禁于共和党党部右院的斗室。这时，太炎先生的起居、活动都受到监视。太炎先生在墙壁、窗纸上遍书“袁贼”二字，以泄心头之恨。此后又被幽禁于龙泉寺内。当时，袁世凯曾假惺惺地派他的儿子袁克定送去锦缎被褥，均被太炎先生烧成大洞后掷出窗外。据说袁世凯曾想派人暗杀太炎先生，陆建章劝阻说：“太炎先生用处甚大，他一篇文章，可少用数师兵马。”仍图收买太炎先生。但是，太炎先生全然不为所动，并致函袁世凯，表示“九死无悔”，进行绝食。后把太炎先生从龙泉寺迁往北京钱粮胡同四号居住。1915 年 3 月，太炎先生长女、小女及长女婿龚宝铨等进京探视，就陪侍太炎先生居于钱粮胡同。钱粮胡同四号素有“鬼宅”之称，每当夜幕降临，院中阴气森森，时有怪异出现。原来是袁世凯派人装鬼以吓唬太炎先生，以瓦解其斗志。1916 年元旦，袁世凯改民国为洪宪元年，行将称帝，局势十分紧张，特务走狗也加紧迫害太炎先生。那年元宵佳节，家中照例要吃汤圆。晚餐时，一盘汤圆端上桌子后，大家都停筷不前，太炎先生看到家中人个个愁容满面，忧心忡忡的模样，便举筷夹起一个汤圆送到嘴边，又停筷说道：“汤圆又称元宵，元宵者，袁消也。”说完一口将汤圆吞进口中。太炎先生幽默的比喻，乐观的情绪，引得大家笑逐颜开，不一刻一盘元宵便被消灭得一干二净。不久，袁

世凯在众叛亲离之下，只做了八十一天皇帝梦，遂结束其罪恶的一生。太炎先生也就此结束了长达三年的幽禁生活，重获自由。

秋瑾与徐自华的革命情谊

蒋琦亚

湖州南浔镇的浔溪女校校长徐自华(1873—1935)，字寄尘，号忏慧。她原籍崇德石门，出身世家，少承家学，嗜古文，工诗文，善倚声。当时与桐乡吴芝瑛齐名，里人称徐、吴二夫人。1894年，她嫁于南浔丝业巨富梅韵笙。1900年，梅病故，青年寡居。1906年，南浔大丝商张弁群(张静江之兄)，开文明之风，提倡妇女教育，仿上海蔡元培主办的爱国女校，在南浔创办浔溪女校，聘徐自华为校长。同年3月，经陶成章、蔡元培、敖嘉熊、褚辅成等介绍，刚从日本归国的秋瑾到该校任教。徐自华盛情接待，秋膳宿都在徐家，两人同校共事，朝夕相处，情意相投，如同姐妹。徐妹蕴华，时在女校就学，也善作诗，特别是她要求进步，深受秋的喜爱。秋曾有"新诗读罢齿犹芬，大小徐名久已闻"诗句赞自华姐妹。秋对自华才华特别赞赏，誉之为"不栉进士"。徐在秋的民主思想熏陶下，不久也加入了光复会和同盟会。

秋瑾的民主革命思想，不仅熏陶了女校师

生，且开始影响南浔镇，这就触动了当地的封建势力，校董金子羽捏造家长意见，讽示秋辞职。秋被迫于暑假愤而离校去沪，徐自华也怒而辞职，蕴华也转到上海爱国女校学习。秋和徐依依惜别，作了《柬徐自华》诗赠自华和蕴华：

一

祖国沦亡已若斯，家庭苦恋太情痴。
只愁转眼瓜分惨，白首空成花蕊词。

二

何人慷慨说同仇，谁说当年郭解流。
时局如斯危已甚，闺装愿尔换吴钩。

激励徐氏姐妹冲出封建家庭，参加革命。秋到沪后，筹办《中国女报》，经费无着，自华变卖房产凑足一千元，亲送上海。蕴华也出二百元相助，使该报在 1906 年 12 月发行。

1907 年 6 月，秋回绍兴主持大通学堂，并与徐锡麟等准备浙、皖起义。时自华在石门侍奉双亲。秋为筹军饷，赶到石门，半夜叩门见徐。徐慷慨将姊妹二人饰物黄金 31 两和珠宝悉数捐赠，秋激动不已，当即写了《临行留别寄尘小淑》七绝五首，并把腕上双龙翡翠玉镯赠徐留念。1907 年 7 月，秋在绍兴英勇就义，正寓居杭州的自华闻到噩耗，悲恸欲绝，即挥泪写了《祭秋女士》一文，以抒悼念之情，同时在杭购置了墓地后，赶赴绍兴，冒险将秋灵柩秘密运杭，安葬于西泠桥

西，并撰《鉴湖女侠秋瑾墓表》。徐又将秋所赠玉镯归还给秋女王灿芝。1908 年徐与芝瑛等为纪念秋，在杭州成立秋社。1935 年徐病故，根据她生前意愿，长眠于秋瑾墓侧。墓前有柳亚子的诗句："地下故人应待我，春来跃马酬孤山。"

害秋瑾者为民所弃

戴　盟

1907 年，秋瑾被清政府所谋害，得到当时社会各界的同情，而这些杀人的刽子手，遭到了社会舆论的谴责和唾弃。浙江新军第一标标统李益智因为从杭州带兵到绍兴，参与包围大通学堂逮捕秋瑾的事，从此他在浙江名声很臭，为时人所不齿。绍兴知府贵福和浙江巡抚张曾敭两人也名声狼藉，受到浙江广大人民强烈的舆论谴责，无法在浙江继续呆下去。1907 年秋冬，距秋瑾就义后约半年，清政府就把贵福调任安徽宁国府知府，立即遭到安徽人民的强烈反对而不能上任；清政府把张曾敭调任山西巡抚，也同样被山西人民坚决拒绝。这些镇压人民的刽子手成了人人喊打的过街老鼠。

尹锐志重组光复会

黄苏民

尹锐志和妹妹维峻经秋瑾一手培育，自小参加光复会，从事革命活动，成为秋瑾的忠实助手。秋瑾殉难后，姐妹俩继承秋瑾遗志，继续革命。在辛亥革命光复上海、杭州及江浙联军攻克南京诸役中，均建有显赫功勋，被称为光复会女界二英杰。中华民国成立，孙中山任命尹锐志、尹维峻为临时大总统顾问。

陶成章被刺身亡，锐志痛不欲生，从此对陈英士、蒋介石心存芥蒂。同时感到民国初建，党人就争权夺利，互相残杀，对革命前景深感失望，由此产生消极思想，在沪闭门读书，不问政治。

抗日战争期间，尹避居重庆，对当时后方政局深感不满。1945年《双十协定》签订后，即将召开有各民主党派参加的政治协商会议，她受爱国热忱所驱使，重又燃起政治激情，着手恢复光复会，涵有光复神州的新意。经一年多努力，会员发展较多，1946年11月2日，在重庆举行恢复后的成立大会，推尹锐志为会长，周亚卫为副会长。会后举行各民主党派招待会，中国共产党派董必武、吴玉章参加，吴老在会上讲话说：期望光复会继承辛亥革命时的光荣传统，对振兴中华发挥力量。谁料内战重起，越打越大，尹锐志对此深感愤慨，到处演说，引为最大之遗憾。后因工作过度劳累，不幸于1948年1月10日与世长辞。

西安事变南京一瞥

汪振国

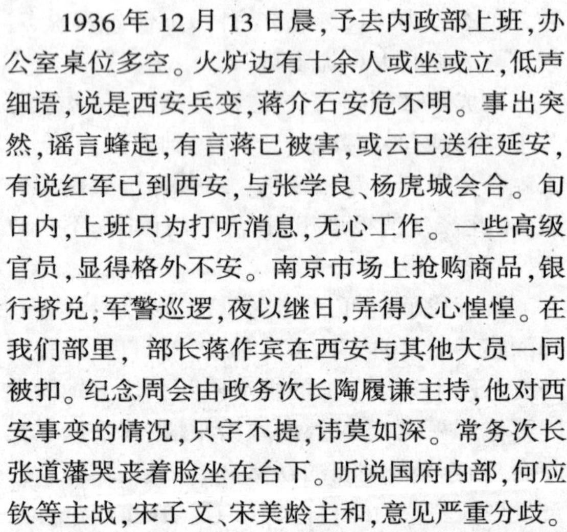

1936年12月13日晨，予去内政部上班，办公室桌位多空。火炉边有十余人或坐或立，低声细语，说是西安兵变，蒋介石安危不明。事出突然，谣言蜂起，有言蒋已被害，或云已送往延安，有说红军已到西安，与张学良、杨虎城会合。旬日内，上班只为打听消息，无心工作。一些高级官员，显得格外不安。南京市场上抢购商品，银行挤兑，军警巡逻，夜以继日，弄得人心惶惶。在我们部里，部长蒋作宾在西安与其他大员一同被扣。纪念周会由政务次长陶履谦主持，他对西安事变的情况，只字不提，讳莫如深。常务次长张道藩哭丧着脸坐在台下。听说国府内部，何应钦等主战，宋子文、宋美龄主和，意见严重分歧。

正当石头城上阴云密布时，一天晚上，予正与邻居下棋，忽闻爆竹声大作，说是蒋介石脱险飞抵洛阳。次晨报纸号外证实了这个消息。数日后内政部长蒋作宾亦飞回南京，在纪念周上报告西安事变经过。时当隆冬,不时以手帕拭汗，神经仍甚紧张，他以长辈的口吻谴责张学良：“汉卿少不更事,以国运为儿戏。”蒋作宾与张学良之父张作霖是换帖弟兄，故讲话中以父执自居,视张学良为晚辈。

衢州机场三修三毁

汪振国

1933 年开始修建衢州机场时，尚未考虑国防之需要,规模不大,且时修时辍,三年未成。抗战军兴,杭州笕桥机场不守,即赶修衢州机场。1940 年 2 月,敌人有沿浙赣线进犯之势,当局下令破坏机场,征集民工七千余人,在机场上纵横掘沟数千公尺。此乃第一次赶修与被毁。

1941 年 12 月 7 日，太平洋战争爆发后,第三战区司令长官顾祝同紧急召开衢属专员、县长会议,宣布扩建机场的决定,要求能容纳五十架美国重型轰炸机起降。顾还以命令口吻,限六个月内完成,违则以贻误戎机论处。各专员、县长只得立下军令状,表示拚死以赴。衢州附近各县,不是盛产竹木之地,所需直径 20 厘米三百六十万株大木头,九十万根毛竹,需到遂安、建德、桐庐、义乌、缙云、永康、松阳等县去采伐。县长亲临指挥,以身作则,寿昌县长林希岳(国府主席林森之侄)背木滑倒,脚骨重伤。至于那些征工征料及机场修建民工,更是悲惨,路途中冻死饿死的,以及敌机轰炸而死者,不知几许。

1942年4月中旬,美机轰炸东京后,日寇认定衢州机场是美机起降之地,一番狂轰滥炸之后,兼程进兵衢州。上午还在赶修,下午当局下令限三天内完成彻底破坏机场的任务,这第二次的赶修与被毁,民工死者近万人。

机场破坏后不到两天,敌人占领衢县,强迫民工在刺刀下连夜赶修,敌人撤退时,又强迫破坏,这第三次赶修与被毁,民工死者数千。

国民党突击建造岱山机场

张昌茂

1949年,国民党政府在岱山突击建造了一座大型军用机场,其规模仅次于台湾台北机场,当时被称为"国防工程方面之巨构","年来机场规模之最雄伟者"。

岱山机场建于岱山本岛中部,北起桥头,南至南浦,机场两侧高山耸峙,南北两头连接海天,飞机可以南进北出,北进南出,视野广阔,起落方便。跑道长2千米,宽40米,钢筋混凝土厚达80厘米,并含指挥塔、滑翔道、油库等,不但可供 B-24 轰炸机、大型运输机升降，而且可让两架 38 型战斗机在跑道上并行起飞。笔者获悉，此工程由国民党空军拨款，计银元二百万元，机场工程处由国民党中将、舟山防卫副司令柳际明任处长，空军总部高正明上校为副处长，主工程设计。从 1948 年下半年筹建动工，于 1949 年 11 月起用，至次年 3 月全面完工。其间，国民党高级将领、舟山防卫司令官石觉等亲自到岱山督察。1949 年 5 月中旬，国民党总裁及蒋经国乘太康舰专程到岱衢洋视察防务并敦促岱山机场工程。

国民党政府为什么要突击建造岱山机场呢？据柳际明《舟山之军工建设与保卫战》一文中谈到："扩展舟山本岛机场(日军建造)为 B-25 机及蚊式飞机基地，以监视封锁淞沪浙闽沿海共产党的港口，并掩护台湾定海之间海上交通安全，但尚未充分发挥对共产党以上地区作大规模之破坏目的，所以必须再建一座大型机场备供 B-24 飞机之使用。"柳际明供称："B-24 机以岱山机场为基地，对共军北自平津，南迄广东及武汉、西安范围内，一切军事设施，均要执行破坏任务，而对共产党由浙闽沿海向我攻击船队之轰炸行动更无论矣。"由此可见，岱山机场担负着几乎轰炸大半个中国的军事任务。所以从 1949 年 11 月起在机场工程尚未全面竣工之时，就开始升降战机，实施对大陆的轰炸。使上海、宁波市区，衢州机场、杭州闸口电厂都遭到

轰炸，仅1950年2月6日，岱山、定海机场起飞美式轰炸机17架，其中B–24机12架，轮番七次轰炸上海市区，杨树浦发电厂等都被炸坏，炸死炸伤上海军民一千三百余人，还造成大批民房起火，给上海人民带来劫难。同样，岱山人民为了建造这个机场也遭到灾难和损失：二千五百余亩盐田被废，大批民房坟墓被拆弃，千百个被勒派的民工开山、抬石、挖泥……，共投入人力三十万工。

1950年5月，正当岱山机场机声日夜轰鸣之时，国民党舟(山)岱(山)守军奉命撤退。撤离时将机场跑道、电厂、油库炸毁，汽油火化，并布埋地雷和定时炸弹，使刚刚建造的机场遭到严重破坏，直到解放后才得以修复和重建，成为人民的机场。

吴昌硕军旅生涯

高石三　稿　洪昌文　整理

1894年，中日甲午战争爆发。吴昌硕随从因金石书画而成莫逆之交的湘军吴大澂北出山海关御敌，协助处理一些文秘工作。年逾半百的吴昌硕，在军旅中已是老人，但激于爱国热情，慷慨赴难。启程前，曾写下“可怜辽阳讯，魍魉跃波澜”的诗句，他那对国土沦丧，强寇入侵的义愤之情溢于言表。

到了关外，吴昌硕目击官兵上下一心，同仇敌忾，感到无比振奋。谁知黄海之战一役，我致远舰受重伤，管带邓世昌抱决死之心，开足马力,向敌舰吉野号冲去,不幸中鱼雷炸裂,全舰官兵二百五十余人全部壮烈牺牲。吴昌硕闻讯悲愤交加,写七律抒怀:“凭吊忠魂歌莫哀,传闻邓禹绘云台。可怜旗鼓仲天讨,未见珊瑚入贡来。谢傅围棋终破敌,班超投笔敢论才。妖星看挽强弧射,独夜营门遣酒杯。”诗中挽颂邓世昌为国捐躯,必将留名青史,把吴大澂比作东晋淝水之战大破苻坚的谢安,把自己比作东汉时投笔从戎的班超。全诗哀而不伤,结联凛然振起,寄希望于未来,意味深长。

甲午之战,北洋海军全军覆没,吴昌硕深感金瓯残缺,报国无门,于是他发出悲歌:“海军未复谁雪耻?愤失海权蹈海死。呜呼我国多烈士,精卫衔石填沧海。”

以后,吴昌硕为纪念那次投笔从戎的壮事,曾请他的艺师任伯年,为他作了一帧《山海关从军图》,表达对这段军旅生活的依恋。

许玉麟的感愤诗

张慕槎

辛亥老人许继,字玉麟,原籍广东番禺。早岁留学日本,参加同盟会。受孙中山先生之命至杭州联络共进会、哥老会策动推翻满清王朝。杭州光复后,随军攻克南京,时年仅二十余岁。出征时曾赋有七绝，传为佳话。其诗云：

男儿慷慨愿随征，老母寒妻送我行。

敢效班侯歼丑虏，献身报国遂初心。

蒋介石掌权后，老人任第一军主任参谋，未几离开。大革命失败后，蒋介石大肆清党，老人在杭州曾赋有七律感愤诗一首：

巧取投机着紫袍，岂真革命为民劳。

玉杯饮尽千家血，银烛烧干万姓膏。

无泪落时人泪落，欢声高处哭声高。

平居漫说民权重，辜负人心是尔曹。

民国十七年，出任西北军第七十军军长，率部反蒋，不幸被捕下狱，判死刑，后改无期徒刑，重庆和谈后获释。

王竹斋为杭城纾危解难

陈瑞芝

王竹斋，原名祖耀，字竹斋，以字行，江苏省太仓县人。清末曾任“杭州农工商矿务局”文案师爷。民国初创办“杭州电话公司”，自任董事长兼经理。1921 年创办“杭州惠通银行”，自任经理。1929 年筹办“杭州自来水厂”。王竹斋先后三任杭州市商会会长。在历任市商会会长期间，不支取薪金，以银行经理收入维持生活。但对兴办社会公益事业，不避困难，领先创建，济贫扶困，无不带头赞助，尽力支持。尤为杭人称许的是在军阀战乱时期，杭城将面临一场浩劫的紧要关头，王竹斋挺身而出，为全市人民纾危解难，深得各阶层市民的赞许。

1926年北伐战争开始后，北洋军阀孙传芳任苏、浙、闽、皖、赣五省联军总司令。北伐军由湘赣进攻，孙军在江西前线屡战屡败，孙传芳亲临九江前线指挥督战。当时浙江省长夏超趁孙军战败的时机，接受北伐军委任十八军军长之职，调集他的保安部队，沿沪杭线进攻上海，切断孙军在苏浙地区的重要后路。那年秋季的某一天，夏超出师嘉兴。夏超的部队均系乌合之众，两个统带吴殿扬和章燮，没有指挥作战经验。孙军驻沪部队，由旅长宋梅村率部向嘉兴抵御夏超部队，一经接触，夏军崩溃，四散逃跑。夏超到达嘉兴，闻此败讯，即星夜逃回杭州。宋梅村率部以搜捕夏超为名，将进杭城劫掠。市民闻讯，人心惶惶，富商巨贾尤其惶恐不可终日。

杭州市商会举行紧急会议，讨论应急办法。王竹斋不计个人安危，挺身而出，单身赶往嘉兴前线，与宋梅村谈判。他晓以大义，劝以安民为上，应允由商会犒劳孙军十万银元，如有食言愿以生命担保。经孙传芳同意，允和平进城。宋梅村犹恐夏超有诈，要王竹斋乘前列军车先行，并派武装监视。宋梅村进入杭城时，商会率领各界人士在车站欢迎。杭城始得免遭一场浩劫。

王竹斋为杭州人民做了不少好事。1934年他病故。杭州市商会和各人民团体，为纪念他对杭州的功绩，报请政府批准，以王竹斋居住的上城区四条巷口毗连的河坊街命名为“竹斋街”。解放后，这条街恢复“河坊街”原名，但老杭州人仍有称它为“竹斋街”的。

湖州绉业小学献机救国

蒋琦亚

“九·一八”事变后，全国掀起了抗日怒潮，湖州私立绉业小学校长刘鹤龄号召同学节约零用钱以捐作抗日经费。1934 年春，学校领导决定将同学积储的二百元购买“航空奖券”，结果中了二奖，得到奖金银元十万元，该校除留存二万元作学校教育基金外，将其余八万元独资捐献飞机一架，定名为“中国儿童号”，并请校友陈立夫代办购机事宜。1934 年 10 月，绉小邀请历届校友代表，齐集南京参加“献机救国典礼”。典礼开始，由陈立夫和他的胞妹陈赞夫向机首掷香槟酒以示庆祝。典礼结束后，“中国儿童号”飞机腾空而起，在南京上空作了表演，赢得了全市百姓的热烈欢呼。表演毕，该机旋即南翔湖州，绕空三匝，以向绉业小学师生和全城百姓致意。

湖州绉业小学献机救国消息，当时全国各大报纸，如《申报》等均作了报导，一时轰动全

国，全国百姓齐声赞誉绉业小学同学的爱国热情。

《新山歌》作者陈梦熊

刘麟书 整理

乐清人陈梦熊和陶成章、魏兰、冯豹、敖嘉熊、龚宝铨都是上海爱国学社和中国教育会的成员。陈梦熊用白话写成宣传民主思想、鼓动群众起来革命的通俗读物《新山歌》，曾受到蔡元培先生的嘉许，在上海大量印刷广为流传，也引起了清廷的注意，爱国学社因此被迫解散。陈梦熊偕其妻林世英回到乐清虹桥兴办“明强女学”，《新山歌》在浙江传播很广，影响颇大。陈梦熊因而遭到乐清劣绅的控告，指控他是哥老会会首而被清政府通缉。陈梦熊逃到温州，得到瑞安孙诒让的资助，流亡日本。但《新山歌》案未了，受株连的人很多。陈梦熊在日本得到此信，不忍亲朋株连被祸，乃毅然回国，到杭州自首，独自承担责任，以解救其他同志。清廷以无确切证据未便定罪，又得各方疏通，得以保释出狱。之后他远涉南洋到东爪哇之泗水任教，在华侨中，进行反清宣传并筹集经费，支援国内革命。1910年8月，陈不幸病逝于泗水埠，时年二十九岁。辛亥革命后，经浙江省议会追认他为烈士，

与敖嘉熊等四人,合祠于西湖之滨,称为“五烈士祠”。

徐象藩焚轮受戕

叶云帆

温州巨绅徐象藩之父定超(字班侯)先生,辛亥革命时任温州军政分府首任都督。卸任后以浙省巨绅身份,时常在温州、上海、杭州等处往返。一次,由沪搭招商局的“普济”轮归里,刚驶至吴淞口,适“新丰”轮(亦属招商局)自北进口,因天黑雾重,碰撞“普济”,该轮吨位小,即告沉没。定超先生与其夫人同时遇难。招商局对遇难乘客生命财产的损失,不闻不问,不了了之。

象藩屡向有关方面交涉,均无效果,怀恨在心,于1918年某一天,会集楠溪同乡上百人,把柴木火油运至温州招商局码头所泊“广济”轮上,声称要焚烧该轮,为父报仇。当时该轮船长为洋人,见群众要来焚轮,鸣枪示警。但象藩自恃声势壮大,仍在浮桥上指挥点火。于是洋人射出子弹,象藩应声倒地,楠溪同乡因群龙无首,即纷奔星散。

六横岛万人暴动

谢永根

1930年1月30日,即农历正月初一,舟山群岛南部最大的岛屿六横岛,发生了声势浩大的万人暴动。其时,国民党政府在岛上实行"土地陈报",收取苛税,国民党六横区分部常委王耿奎从中渔利,激起群众反对。岛上田岙村塾师胡大宝率众对抗,王耿奎向定海县政府告急,诬指群众"谋反",请来公安局长坐镇,抓人镇压。于是岛上大沙浦、大支、横皮塘等地的头面人物张和灿、沃阿定、周记生和胡大宝串联,决定正月初一至东岳宫,以拜菩萨为名,举行集会示威,抗议土地陈报。是日,万余人集议反对苛捐杂税。群众压不住心头痛恨土豪劣绅的怒火,先后打死王耿奎等五人。初三,定海县长吴椿带领警察赶至现场,群众把吴椿包围,推选胡大宝等为代表与吴椿对话,结果"谈判"不成。年初六,省派水警和海军"超武号"等四艘军舰四百余名官兵前来镇压,被捕群众九十余人。胡大宝等坚贞不屈,严词以对:"王耿奎等确是六横土劣,毙之即所以除害也。"后来有十一人遇害狱中。胡大宝被判刑十二年,1936年被折磨死于狱中,群众把他埋葬在家乡沙地上。在以后几十年里,经过多次清除旧坟，惟有这座坟堆保存下来。

红军攻打廿八都

江山市志办公室

江山市廿八都镇，是浙、闽、赣三省交界的要冲险隘，古来为兵家必争之地。民国二十一年(1932)，赣东北革命根据地的红军先后攻占福建省浦城县与江西省广丰县的五都。江山县政府大为震惊，急忙派遣基干队长黄世富率队进驻廿八都，并组织一支上百人的地方自卫队，以防红军袭击。

是年6月29日，驻广丰县的红军独立团会同当地游击队、花枪队，趁黄世富回江山县城之机，由团长周良瑞，政委吴光丕率领，从广丰县六石坑出发，晚上悄悄到达廿八都外围，夜间发起进攻。战斗持续到拂晓，敌人全部被歼，缴获长短枪八十余支，子弹八箱。下午召开群众大会，宣传共产党有关政策后，大模大样地撤出廿八都，返回原驻地。

9月5日晚，驻闽北红军独立团和广丰苏维埃独立团，分三路包抄廿八都。广丰苏维埃独立团担任中路主攻，首先歼灭溪口的保安团二连。广丰独立团的赤警连连长蔡武，率部袭击敌人的前沿防线，残敌抱头鼠窜至廿八都水安桥喘

息。此时,埋伏在东西两路的红军发起了猛攻,打得敌人晕头转向,走投无路。

天明时分，闽北独立团团长黄立贵率部迂回至廿八都西北边坂地区，从侧面展开猛烈冲击,守敌背腹挨打,少数落荒脱逃,大部被歼。

这场战斗，缴获机枪二挺，长短枪三十余支。残敌退守龟缩在廿八都北面的小竿岭,红军则分别撤回广丰县的十五都源和闽北的古楼。

中美合作抗日的一段历史佳话

蔡见吾

1942年4月18日,美空军杜立德中校(J.H. Doolittle)率领B-25巨型轰炸机十六架,从航空母舰起飞,首次轰炸东京,胜利完成任务后,进入我国境内,时近午夜,原定在衢州机场降落,因故失去地面联络,迷失方向,找不到机场,被迫散坠浙皖各地,其中第11号Hari karier机组共五人,于飞机油尽滑翔降落时,先后跳伞散落于浙皖边境深渡附近山区。

当时担任歙县军邮视察的魏汉民，正在深渡视察邮运情况,18日夜间宿深渡旅舍,午夜在睡梦中被上空飞机盘旋声惊醒，不久又听到轰隆坠地巨响。翌晨上街,在街上见有美国空军三人在街头檐下徘徊，意识到当是昨夜飞机上的美国盟军,当即上前招呼,款待他们进屋休息。近午时适有邮政汽车运送邮件经过深渡,魏即安排三位美国空军一同搭乘并护送前去歙县,到达后予以安顿旅馆并为伤员包扎治疗。魏随即又向军邮办公处主任曾健培汇报经过情况,同去旅馆与美空军晤谈,得知昨(18)日美空军奉命轰炸东京,完成任务后进入中国,由于得不到地面联络,又是一片漆黑无法着陆,此时油料已尽,不得不弃机跳伞,同机五人,尚有两人下落不明。

魏随即设法派摩托车去深渡附近寻找,不久另外两位美国空军由当地农民在山上遇到后,一同步行前来,全机组五人会齐,抱在一起,高兴万分,并以感激的眼光看着在场群众。

20 日上午,该机组领航员 Greening,副领航 Reddy,机枪手 Gardener,驾驶员 Kappeler 和投弹手 Birch 等五人在歙县南门外大桥上合影留念,照片尚保存迄今。中午由歙县政府和航空站设宴压惊,下午航空站派木炭汽车送五位飞行员去衢州机场转往后方,与魏汉民、曾健培等依依挥别,留下了中美合作抗日的情谊。

1990 年 9 月“1990 年杜立德突击机队中国访问团”(1990 Doolittir Raiders China Expedition)来到杭州,邀见魏汉民、曾健培,并赠予纪念盾一面,上有“多谢”两个汉字。

薛时雨赏识袁昶

胡升德

西湖上原有三忠祠，是为纪念袁昶、许景澄及徐用仪而建立的。

1900年，清廷利用义和团围攻各国在北京的使馆，并向各国宣战。当时太常寺卿袁昶等三人，认为对外不可轻启战端，对清廷进行极谏。但清廷及重要满臣坚主用兵，三人被杀。辛丑和约后，袁昶等追复原官并建祠纪念。

我师臧承宣先生曾告以有关袁昶的轶事：

相传袁父是桐庐县生员，家境清贫。太平军攻克桐庐后，招用文书人员，袁父应征工作。不久,清军夺回桐庐,左宗棠坐镇严州城。当时有人告发袁父投敌,并受利用。左即令桐庐县传讯后移送严州府治,其时袁本人在弱冠之年,随父同到严州,袁父押府受审,袁则在府门口等候消息。这时一个守门军卒对袁说:"左大人平常不笑,问案时发笑,被审人就有性命危险。刚才审问你父时,大人大笑,情况不好,你年纪轻轻,不干你事,你赶紧逃生吧!"接着袁父就被杀了。

袁逃回故乡,生活困难,承亲友推荐,在江滨一家蒙馆教书。此时有个达官(据说是薛时雨。薛字慰农,咸丰进士,当过嘉兴知县,官风廉正,洪杨军兴,为李鸿章幕僚,以后当过杭州知府),乘坐官船,在桐庐遇逆风,停船上岸走走,走进一所私塾,时当傍晚,学生放学回家,只有一个塾师伏案睡着,桌上有刚写成的文章,薛阅文后,觉得塾师大有文才,就喊醒他,并通知袁到他官署里读书,愿意栽培上进。

袁到薛家后,努力求学,薛也给予指点,学业进步很快。不久薛允以小姐许袁为室,袁自问毫无出身,恐贻讥笑。向薛表示,再出投师,俟功名成就之后,再议婚事。数年之后,袁考取进士,方始成婚。

孙诒让却寿

王超六 遗稿

孙诒让，字仲容，浙江瑞安人。出身于书香门第，名宦世家。二十岁中举人，七试礼部均不就，潜心著作三十余种，称为一代经师。

光绪三十三年(1907)，孙氏六十诞辰，世谊旧好，亲朋好友，力谋为寿。而孙氏手为笺启谢寿，曰："议循俗致贺，私衷惶惶无地。窃以世变阽危，既非吾辈醇饮为乐之时，况衰年多病，索居鲜欢。每念人生有涯，彭殇同尽，即今幸跻耄期，亦复何足夸炫。何况未及中寿，祝筵之典，更非所敢当。今谨先期广告，恭申谢悃。届期烛幛礼物，概不敢领。寒舍亦无筵宴，即汤饼亦复不具。惟略备筵资，寄上海中外日报馆移充义赈，冀为诸君造福，借答雅意。疏简之愆，伏希原恕。大雅宏达，幸垂察焉。"同邑项崧申甫太守以文为寿，曰："同人谋为君寿，君力辞。世俗祝厘之举，乌足为君重哉！"从妹婿宋恕平子远阻济阴，以诗寿之曰："江淮回首少年场，北望中原志气荒。结客平生余墓草，几人犹能借灵光。辅国将军谁赐印，太和尊夏事茫茫。聊喜故山可采药，更有诸子渐成章。"有长序二万字，历言深知与深交。

章太炎"分封五王"趣闻

茅蔚然

章太炎有五个得意门生，他把这五个得意门生分封为五王：

封黄季刚为天王，他是法律学家、古文学家，被章氏称为"天下奇才"。

封汪旭初为东王，他是诗词学家。

封朱逖先为西王，他是历史学家。

封吴承仕为北王，他是历史学家、训诂学家。

封钱玄同为翼王，他是语言文字学家。

当时，有人问章太炎：在五个门徒中，钱玄同的名声很大，为什么却封他为翼王？章太炎笑着说："因为他常常喜欢造反，闹独立。"原来，钱玄同成了今文学派，章太炎还是古文学派。学术观点不同，而师生之间的感情仍然很好。在章太炎"分封五王"之后，钱玄同曾和人谈起：先生既然封我为翼王，那我只好做"石达开"，不过我的人生道路上决不会出现一条大渡河。

张难先轻车简从

陆九畴

1931年初，张难先任浙江省主席兼民政厅长时，我在杭州马坡巷里的浙江地方自治专修学校读书。一天,学校接到电话,说是省主席上午就要来校视察。校长马巽伯、总队长沈善庆率领全体师生在校门口列队恭候。久久未有音讯,忽见一辆人力车从巷口径直拉到学校门口,车夫止步停车,这急坏了沈队长,当即上前责难:“这里不准停车,省主席马上要来了,请拉走!”只见车上的人头戴便帽，身穿蓝色长袍，玄色马褂,笑盈盈地走下车来,说:“我就是张难先。”大家听了,大吃一惊,省主席出巡,没有前呼后拥的随从,不坐轿车,不摆架子,殊属少见。

那年的11月，张难先卸了浙江省主席的任，回到湖北沔阳老家，在县政府里当一名秘书,县长正是他任浙江省主席时的下属。

蔡元培嗜读书

谢德铣

蔡元培从小学习非常勤奋，全靠自学和家人的指点，十一岁时，父亲蔡耀山去世，开始过独立生活。十三岁时，受业于同县王子庄先生。在塾师的指导下，他十七岁就考中秀才，以后专治小学、经学，为骈体文。他求学专心致志，一天，他正在楼上聚精会神读书，忽然楼下起火，人们发觉后大喊："救火！"但他毫无觉察，直到家里人冲上来把他拉下楼，他才放下书本。他读书异常刻苦，夏天蚊子奇多，咬得痛痒难熬，他就急中生智，找来一只大口的空坛，把两只脚伸进坛里，蚊子咬不着他的双脚，于是读书更加聚精会神了。有一次，几个小伙伴约他去玩，他放不下正在阅读的《吴越春秋》，没有跟着去玩。几个调皮的小朋友就从树上捉了条毛毛虫，扎在鱼钩上，伸到他眼前摇晃、捣蛋，用来吓唬他，但他好像没有看见一样，仍照样专心看书。

蔡元培的择偶条件

陈觉民 遗稿　汪振国 整理

蔡元培元配王昭夫人1900年逝世，时蔡虚龄三十四岁，做媒者户为之穿。他不胜其烦，写了几条择偶条件，贴在书房墙壁上：一、须天足；二、须识字；三、男方不娶妾；四、男死，女可改嫁；五、男女双方意见不合可以离婚。当时绍兴城内有位专讲程、朱之学的老先生，认为这是“离经叛道”、“淆乱纲常”，特地坐了大轿来和蔡辩论。蔡坚执己见，这位老先生气得胡子直竖，说声“孺子不可教也”，打轿回府。后来蔡与黄仲玉女士结婚，结婚那天，参加者都是知名之士，以“演说会”代替“闹新房”。

戈公振办中外报纸展览会

钟韵玉 稿　洪昌文 整理

1931年8月8日至10日，著名新闻学家、《时报》总编辑戈公振在杭州西湖罗苑主办中外报纸展览会。两大间教室里陈列了他在英法等国考察新闻事业所收集的照片，包括报馆外景、编辑室和印刷工场，和他带来的《泰晤士报》、《纽约时报》、《朝日新闻》等外文报纸。《申报》、《时报》自创刊号起的合订本各十余本，《时报》一万号，《杭州白话报》月刊本，《新闻报》创刊号及三十周年纪念册，还有《循环日报》、《华侨日报》、《南洋商报》、《中外新报》、《时事新报》、《益世报》、《大公报》、《北京晨报》等许多报刊。还大量陈列戈公振、项士元、徐宝璜、蒋国珍、任白涛、邵飘萍、黄天鹏、谢六逸、周孝庵等所著的新闻史与新闻学书籍。因展出的多为珍罕报刊，引起了大家的重视。当时新闻学家和沪杭名记者郭步陶、章先梅、严独鹤、王西神、程沧波、潘公弼、金华亭、谢六逸、李朴园、陈万里、樊仲云、刘既漂、樊迪民等，以及杭州报学讲习所工作人员项士元、王苏香、钟韵玉与全体学员，各地新闻学爱好者，纷纷前来参观，顿使白沙堤上车水马龙，盛极一时。这次报展规模不大，在国内却是首创。

马一浮蓄须之由来

虞逸夫

马一浮先生美须髯，蓄须甚早，其起因外人罕有知者，复性书院副院长沈敬仲曾为我言之。清朝末年，清政府曾将一批珍贵文物运往英国展览。代表团成员自不乏博闻广见之士，惟大多明于知古，暗于通今，不能与英人直接交谈，尤以不谙英语，凭翻译诸多不便，亦不足以完全反映我国古文化之真实精神面貌，颇感遗憾。闻马先生不独学识渊博，又精通拉丁文与英吉利语，与英人打交道，是最合适的人选，遂特聘先生为代表团顾问。其时先生方当盛年，出国时换着西装革履，更显得格外年轻，在伦敦展览会上，虽然风度翩翩，仍不为彼方耆宿所重视，往往误呼其为“boy”。先生以为大辱，从此愤而蓄须，直至终老。

张宗祥以先贤为楷模

张　兆

先父张宗祥，原名思曾，因崇敬文天祥而改名宗祥。铁如意馆主是先父常用的别号，他钞校的书籍，用的就是印有铁如意馆字样的连史纸。为什么他采用这个号？这和老人家崇景民族英雄并以其为表率有关。

铁如意确有其物，长 69 厘米，重 1075 克，系铁质镶嵌云纹银丝，因年久生锈银纹剥落。这是古代文人佩用的一种防身武器，如意柄作扁平方形，有棱极似锏，所谓“模棱难断奸臣头”就是此物。如意柄的弯头正好作护手之用。如意原主是明崇祯举人周宗彝。周宗彝，浙江海宁硖石人，在满清入关进入硖石前，他设置关厢水栅以保里邑安宁，并与弟启琦聚士兵捍卫硖石，及清兵破硖，宗彝一家七口全部殉国。作为一个儒生能具有高度的民族气节，阖家殉难，确是非常壮烈的。

先父得到这柄铁如意后，非常高兴地用它作为馆名。它一直随着我们家在战火动乱中辗转北京、汉口、重庆等地，从未须臾离开过。在抗日战争开始时，先父已是望六的人，加上右脚微跛，跋涉不便，但他仍然带着手钞的几十箱书，由汉口到桂林转贵阳抵重庆，山城迭遭轰炸，生活极其贫苦，但他始终坚信中华民族不会亡，从困苦中挺了过来，这是他平生景仰先贤，并以之为自己行动表率的具体表现。

铁骨铮铮的何燮侯

张慕槎

何燮侯(1878—1961)名燏时，浙江诸暨市枫桥人。其父何蒙孙，晚清秀才，擅书法，特精“二王”，与吴昌硕、蒋观云等友善，鬻书所得，兴学校，修道路，恤贫济困。余幼年就读枫桥大东公学，蒙孙师曾授余书法，燮侯先生长余 21 岁，其公子又与余同学，故先生也余之前辈。

燮侯先生家学渊源，亦善书法，不以书法

名，而致力于科学救国。早年肄业于求是书院。1898年，先生19岁，以中国学生第一批选送日本留学，1905年在东京帝国大学冶金系毕业，获工学士学衔。在日本时，先生与旅日同乡蒋观云(智由)、蒋百器(尊簋)、陈公洽(仪)、周树人(鲁迅)诸氏联名上书浙江当局，对于学制改革、学风整顿多所建议，颇邀采许。回国后，曾任工商部矿务司长及京师大学堂监督，其校舍亦由先生草昧经营，革除陋规，其廉政有父风。后因不惯官场酬酢，不满北洋政府腐败，袁氏又阴谋窃国称帝，愤而辞职南归。

燮侯先生一度赴南洋游历，于友人汤拙存处获读日译马克思的《资本论》和《共产党宣言》，惊为救国良方，并从事研磨宣扬。1939年3月31日，周恩来以国民政府军事委员会政治部副部长身份由皖南来浙东视察，过枫桥时，接见先生于紫微侯庙，先生侃侃而谈，备受赞许。嗣后又与新四军浙东纵队领导人谭启龙、何克希等交往，并出席北撤前的浙东人民代表大会，慷慨陈词。先生时年六十有四，不克随行，返乡后被捕入狱。先生虽在缧绁之中，而宣传共产主义如故。经其婿张启华(时任全国电信总厂厂长)奔走，留日同乡陈仪、蒋鼎文等呼吁，当局提出一个条件，要先生不再侈谈共产主义乃可。先生抗言："释放不释放听便，从此不谈共产主义做不到。"当伪满洲国傀儡政府成立时，日方曾巨款汇杭，请先生北上入阁，先生毅然决然将原款退回，不复只字。杭州沦

陷前夕，日方又要先生出面维持浙局，先生乃远走高飞于会稽山区，无从弋获。

新中国成立，何燮侯先生以七十一岁高龄参加第一次全国政治协商会议，出席开国大典。先生谦以自牧，逊谢不遑，对兴替可否，如节制生育、大办钢铁与毁桑种粮、反右扩大化等，则铮言谠论，与党肝胆相照，荣辱与共。

燮侯先生于1961年4月在杭逝世，享年八十有三。

郁达夫怒踏“孔方兄”

陈觉民 遗稿

1936年，我与郁达夫同在福建省政府任职，因为彼此是浙江同乡，又对旧诗词都有同好，所以时相过从。

一天，我和达夫的小同乡、富阳人孙问西同到福州宫巷寓所访达夫，不巧，他早已出门了。

房东是一位五十多岁的老奶奶，讲一口道地的福州话：“你们的朋友有神经病的。”“不，不，不。”我们两人同时否认。但她摇摇头不相信我们的话，还指手画脚地加以说明和补充：“这位先生昨天夜里回来很晚。他进房后打亮电灯，我听见他房里发出啪哒、啪哒的声音，以为出了什么事，又不便敲门，便在板壁缝里张看，只见他一个人在房间里，两手叉腰，用皮鞋脚踩踏地板发出巨响；再向地上一瞧，我愣了，原来地板上铺满了花花绿绿的钞票！你们想，这难道不是神经病吗？”

第二天早晨，我在办公室遇见了达夫，便迫不及待地问他：“前天晚上，你在寓所中做了什么事？”“没有甚么，没有甚么。”达夫摸摸头发，回忆了一会儿，仿佛想起了什么，接着说：“近日手头拮据，诚如李太白所说：‘床头黄金尽，壮士无颜色。’好久没有见到百元数额的钞票了。前天我领到一个月的薪水，想到孔方兄对我避而远之的小人气，怎不教人生气。因此回寓以后，就把它掷在地板上践踏几脚，以泄一腔愤怒。”我这才恍然大悟。

朱洗布履布衫

彭君礼

1932年冬，朱洗从法国学成回到阔别十三年的家乡省亲。当初人们以为他留洋得博士归来，定像状元及第，衣锦还乡。然而朱洗归来，既不坐轿，也不骑马，更无随从。路过台州府城，不敢惊动“社会名流”，悄悄避过接风筵宴，单身徒步径赴店前村老家。他在乡亲们面前，乡音满口，布鞋长袍，老少无间。他一不祭扫祖墓，二不建房造宅,既不设宴迎宾,也不收租放息(朱氏族例:中功名者,按等级连续三年受领数百石至千石宗祠奖励租谷。朱洗功名极等,奖租最厚,他却颗粒拒收)。

十三年前朱洗出洋求学,母亲慈爱难舍,要他先完娶后出国。为成求学夙愿,遂秉母命与邻村姑娘蔡秀仙结婚。于是新娘进门,新郎出国,秀仙一守空房就是十三个年头。如今新郎回家,琴瑟和鸣。可是好事族亲却多偏见:玉文(朱洗字)留学西洋,博士荣归,理当另娶才貌匹配的时髦太太,方能光宗耀祖。而原配蔡秀仙小脚村姑,目不识丁,岂非全不般配?一位长辈竟当面问朱洗:“你是一个大博士,为何不娶个门当户对有才有貌的女学士做内助呢?还要收留乡间粗俗无识的女子为妻!”朱洗笑笑说:“这也算糟糠之妻不下堂吧!秀仙在家等我十三年,不容易啊。情本结发,我怎好负她弃她。她土生土长,缺少文化,那是可以学习的。我这个博士原也不是土生土长在临海双港吗?晚辈以为,男博士何必非女学士不配呢?”朱洗心地好,胸襟宽,情义重,见识高,一席话让这位长辈口服心服,转而祝福朱洗与文静娴淑的“糟糠之妻”蔡秀仙白头偕老。

女布衣陈小翠

周采泉

陈小翠，以字行，晚号翠侯、翠楼，杭州天虚我生陈蝶仙长女也。颖悟绝人，有“三百年来女布衣”之誉。工诗，能词，又擅工笔丹青。当日上海女子画坛以小翠与李秋君为翘楚。小翠曾为我写一扇面，录其《临安怀古》绝句六首，诗固清隽，字迹亦娟秀可喜。

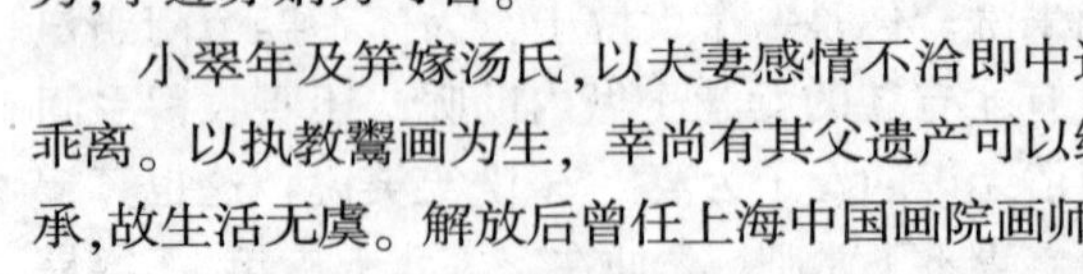

小翠年及笄嫁汤氏，以夫妻感情不洽即中道乖离。以执教鬻画为生，幸尚有其父遗产可以继承，故生活无虞。解放后曾任上海中国画院画师。

初，蝶翁有一得意诗弟子顾佛影，字大漠，有《大漠山人诗集》行世，与小翠为师兄妹，互相爱慕，小翠之脱辐也，人有议为撮合者，大漠以家有妻室不能使小翠为罗敷，因作《咏帘》七律五首以见意，事遂中止。嗣佛影入蜀，以和毛主席《沁园春·咏雪》词：有“数梅花骨节，寸寸娇娆”一韵，为毛主席所赏，载誉东归。值其妇病故，友人又旧事重提，小翠咏《还珠吟》七绝十首以广其意。“发乎情、止乎礼”，不坠绮障，惟余怅惘而已。大漠后病肝，小翠有《金缕曲·佛影示疾》一阕，幽咽酸楚，赚人下泪。余有追和原韵一首，并原作收入《金缕百咏》。

“洋场才子”陈蝶仙

周采泉

陈栩，字栩园，又字蝶仙，别号天虚我生，杭州人。善属文，曾作幕僚，客居上海，以卖文为活。并设函授、讲授等方式开馆收徒。其为文不宗一家，骈、散、诗、词、曲等，造诣颇深。所校注之《白香词谱》，虽不能与朱(古微)、况(蕙风)诸大词家相提并论，但牖启后学，却较朱、况诸公影响为深远。尚有《文苑导游录》，也是一部很能津逮后学的书。又有《家庭常识》一书，自编自印，其内容确为家庭间应有的常识，销路颇广。其后又创办“家庭化学工业社”，以出产“无敌”(蝴蝶)牌擦面牙粉，获利颇丰。我和天虚我生没有直接接触过，但我的诗友顾佛影、喻水声，均是他的学生，每谈艺事，往往称道其师才情不迭。

蝶仙逝世后葬于杭州，墓在玉泉沿山路去灵隐中途，有石碑镌“蝶冢”二字。

童第德别传

周采泉

童第德，字藻荪，又字次布，自署其所居为"宝姜堂"，以得姜宸英手迹故以为号，鄞县东乡邹溪童家岙人。父士奇，为名诸生。藻荪行二，甫晬病痹，痿其右足。父兄以其颖异好学，罄家所有，佽其游学京师。在北京大学时，为姚仲实(永朴)等所激赏，故为文深得桐城家法。曾为先君撰墓志，余绍宋书之，余氏盛称此志之峻洁。

周童两家为同乡世谊，余行辈略后，故于先生为师事。先生治韩愈文积数十年，搜集韩集版本达数十，成《韩集校诠》四十卷。读者叹其典赅，魏仲举未易逮也。当时余治杜诗，冀能成书。今《韩集校诠》与拙著《杜集书录》先后出版，先生已不及见矣。先生后任北京中华书局编审，范文澜《文心雕龙注》、杨伯峻《论语译注》等皆经先生审定，各家序跋中，佥称先生匡失弼违之功。

先生兄弟五人，四弟蔚孙(第周)为我国著名生物学家，全国人大常委。周恩来总理雅知先生，欲征一遗献，由第周将命，委先生查出处，先生穷二旬之力，条具极命，深得总理嘉评，事竣，削牍焚稿，人皆莫知其详云。

王国松与费巩教授的情谊

茅蔚然

1940年8月，费巩接受竺可桢校长的邀请，出任浙江大学训导长，深受学生的爱戴。不到半年，国民党教育部即以费巩不是国民党员，胁迫去职。王国松对此深为不平。

1945年，费巩应邀去北碚复旦大学讲学。费巩离遵义前的一个星期天，王国松特邀他来大仕阁寓所共进午餐，还特地烧了一只家乡菜“金银蹄”作为饯行。3月5日，费巩去北碚讲学途中，在重庆千厮门码头被国民党特务绑架而“失踪”。王国松得此恶讯后，即与浙大师生进行营救，并急电重庆浙大校友设法探查。国民党当局为掩人耳目，曾派美国名探克拉克和中美合作所总务处长沈醉到遵义查访，曾访问王国松，王国松向他们严正指出：费巩教授为人正直耿介，治学严谨，被称为“品格的支柱”和“道德的力量”。他追求真理，酷爱民主，这样的教授不为国家所用，甚至不为国家所容，实在不可理解。王国松还向沈醉直说：“遵义是绝对找不到费巩教授的，若要找到这个人，最好是回到重庆向那些专门逮捕和囚禁政治犯的机关查询，方可水落石出。”

三十多年后，浙大举行费巩烈士纪念会，王国松特地写了一副挽联，以寄托其对挚友的哀思：

刀落千厮门，诽起吴淞口，岂能断
烈烈芳馨百世共流兮大江水；
德高重身教，才富务是实，当然就
煌煌光焰众心齐明兮费巩灯。

陈望道轶事

李鸿业

陈望道(1890—1977)，浙江义乌市何鲤乡分水塘人。原名明融，又名人融，字望道，号参一。正因为他有个“人融”的名字，后来他宣传共产主义时，不理解的乡人曾给他取了个谐音的绰号，叫“寻穷”。

1919年冬，陈望道因“浙江一师风潮”离开杭州回到义乌家中，从事马克思主义的研究，并着手翻译《共产党宣言》。他是根据日、英两种文本译的，地点在现存的一座九间的房子里。1920年4月脱稿，5月即应邀携稿去上海，8月这第一部中文版的《共产党宣言》就在上海正式出版。他对共产主义的传播和中国共产党的建立，作出了不可磨灭的贡献。

有人写文章说陈望道是躲在破败的柴屋里

翻译的，夜里连油灯的光都要遮掉……其实并非如此。那时是军阀割据时期，地方的基层组织并不严密，乡间除了有一个“保正”做乡绅的差役外，权力全在乡绅手里。陈望道的娘舅张纯奇和他父亲陈君元，就是那时何鲤乡的著名乡绅。何况他翻译《宣言》时，中国共产党尚未建立，根本无须躲在柴屋里去翻译。我还清楚地记得：在我八九岁时(1921 年前后)，陈望道的父亲来到我家，对我父亲说：“我家人融是共产党，他说田地没有用，所以我把田卖掉给他们读书。”那时，他是到处公开宣扬的。

陈望道不但说服他父亲看破土地家产，卖掉给弟妹们读书，两个弟弟(伸道、致道)都大学毕业。他还在本乡组织过“青年同志会”，提倡妇女剪发、放脚，而且从自己家里人做起，从两个妹妹和妻子做起，一时带动了不少妇女摆脱那缠足的痛苦，在当时也是件难能可贵的革命行动。

瑞安“四大布衣”

刘麟书

瑞安是浙江省南边的一个偏远县份，在清季末叶，文风特盛，出了些知名的人物，其中以“四大布衣”尤为突出。

当时，瑞安县七十二位读书人组成一个叫“求志社”的学社，除讨论经文制艺之学外，还订有一条公约：“愿终身穿着布衣，不饰绮罗。”这七十二位中的佼佼者陈虬(蛰庐)、陈黻宸(介石)、金鸣锵(稚莲)、陈仲舫号称“四大布衣”。

陈虬是清朝举人，博览群书，擅长理论，对于时务最为关心，著有《治平通议》一书，为世推重，池卧庐为他写过七绝一首："瓜面剑身矍且癯，治平早著治平书。沧桑未改英雄老，变法维新半蛰庐。"(池卧庐也是七十二布衣中人)陈与康有为、梁启超投契，参加了维新派活动，迨康梁事败出亡，谭嗣同、刘光第、林旭等六君子受诛，陈虬潜回温州，通缉文书跟踪而至，乃复往祖籍乐清县隐迹，躲过了杀身之祸。戊戌政变一阵风过去之后，陈虬在温州与陈栗庵、胡润之共同创办了利济医学堂(陈、胡二人均属七十二布衣之外)。晚年致力于文字改革，曾创作号称为"瓯文"，仅仅完成并未行世，遂即逝世。

陈黻宸进士出身，曾任清朝户部主事，学识渊博，许多浙江知名人物如马夷初、汤尔和、杜士珍等皆出其门下。清宣统年间举办新政，被选为浙江谘议局议长。蔡元培长北大时，被邀担任历史哲学讲座。在北洋军阀袁世凯主政时被简为教育部次长。第一次世界大战，段祺瑞主张参加协约国阵线对德宣战时，曾在国会提出弹劾，轰动一时，后以政见不合引退回家，旋因弟陈侠(亦七十二布衣之一)病逝，悲痛成疾，不治作古。

金鸣锵后改名晦，清廪贡生，某年因温州学生闹考，他站在考生方面争取正义，为府县不满而革去功名，故改名"晦"，不复再操举业，学贾经营酱酒业。但在学术上仍进行不辍，著有《原始以来天人性命之本源》一书，措思广阔，年六十余岁终。

陈仲舫，清廪贡生，陈虬之兄，对古典文学

及旧八股文造诣深邃，但不得寿，年三十余岁，即去世。

“四小鬼”乡试获隽

陈觉民 遗稿

光绪二十八年(1902)，邵力子以监生资格到杭州参加壬寅科乡试，考取了第六十七名举人。这时他虚年龄才二十一岁。在这一榜里年龄最轻的有四人，这四人是邵力子(榜名邵闻泰)、海宁张宗祥(阆声)、仁和陈敬第(叔通)、诸暨陈訚(季侃)，大家戏称“四小鬼”。这件事我是听张宗祥先生说的。据说，在1957年邵力子来杭州时，他们还谈起此事，但“小鬼”已成“老翁”了。

屈映光办洋学堂

彭君礼

屈映光(1883—1973)，字文六，临海东塍人。早岁参加光复会，武昌起义，任浙军兵站总参议，旋以浙江代表身份赴宁选举孙中山为民国首届临时大总统。后历任浙江巡按使、山东省省长、内务总长、赈济委员会副委员长等职。晚年奉佛，徙居台湾桃园大溪斋明寺，尝集资修订《大藏经》,并著有《心经诠释》、《金刚经诠释》。先后两次创办临海私立振华中学。

清光绪三十四年(1908)屈映光在家乡东塍下街创办一所 “洋学堂”——东塍初级小学,与原有的私塾家馆相比，完全具有革旧脱俗的崭新面貌,还落落大方地招收女学生,颇能吸引广大乡民。时虽清末,但旧观念旧势力阻力甚大,在当地元老派们(晚清秀才等)眼里,新派人物办“洋学堂”实属“大逆不道”,于是这伙人导演了一出小小闹剧——偷偷在东塍街头巷尾，墙根壁角,张贴“无头榜文”:

“红毛秀才”屈文六，
办个洋学堂，
一心想要夺东塍下街头脑谷。
聘来谢舜琴——勿成人，
还叫佩璜、雪春做先行。
……

此文骂屈文六是“红毛秀才”(即洋奴),诽谤屈氏办学目的是为了争当地方头脑,侵吞祀租;诬蔑首任执教老师和中伤当地两个年青光复会员周佩璜、周雪春是屈的“走卒”。“无头榜文”尽管来势汹汹,但“洋学堂”越办越有声有色,越来越挣得世面。

王正廷热心桑梓

王舜祁　陈兆芳

王正廷(1882—1961)，浙江奉化杜乡税务场村人。以出席巴黎和会拒签《巴黎和约》著称。历任北洋政府工商总长、外交总长、代理国务总理、国民政府外交部长、国民政府委员、国事顾问等要职。王正廷出身贫寒，清朝末年税务场发生灾害，无法生活，他祖父带全家逃荒外地，他的母亲替人家帮佣，省下钱来供他读书。王正廷从小刻苦好学，后来他当了官，仍不忘家乡人民的疾苦。

王正廷担任国民政府高层职务以后，在家乡只造了几间普通的平房，自题门额“爱光庐”，其规模气派还比不上当地地主的房子。有人说，正廷当了“民国尚书”，理该造一所像样的“尚书府”，荣宗耀祖，这所房子与他的地位太不相称了。王正廷听到后，笑笑说：我这所房子比祖宗住的已经好多了，做了官不能忘本啊！

王正廷对家乡的公益事业十分关心和支持。20世纪30年代为造福桑梓，培养人材，他出资在村口造了一所王氏宗祠，取名“务本堂”，作为村校校舍，这所学堂名为“务本学堂”，实施新教育法，教育家乡儿童，并开设夜校，给失学的青壮年以就学机会。以后“务本学堂”改名为税务场小学，直至现在该校教师还以王正廷的事迹鼓励学生勤奋学习。

20世纪20年代末,奉化经济衰败,民生凋蔽,不少儿童流离失所,有些婴儿被弃路旁,造成了严重的社会问题。一些有怜悯之心的绅士发起,在奉化城内办起了孤儿院、育婴堂,收留孤儿,抚育弃婴。但这两所慈善机构,政府不拨经费,全由募捐解决,经费十分困难。有一次,孤儿院、育婴堂的具体经办人得知王正廷回乡的消息,就到税务场拜访,并向王正廷陈述办院办堂的困难，王正廷听后立即命随从取款奉送，说:“孤儿弃婴,命运乖蹇,收留抚养,功德无量,我十分敬佩,区区小数,聊表我一点心意,以后我有机会还会向社会呼吁，请大家都来关心你们的工作。”

朱家骅办小学

蒋琦亚

朱家骅（1893—1963），湖州白雀乡瑶琎坝人。父母早亡,全赖其开米行的兄长朱祥生抚育成长。所以他1917年从德国留学回国后,第一件事到兄嫂家登门道谢。朱祥生对他说:“你我兄弟,你读书,我帮你,是理所当然的。不过我

想，家乡文化落后，将来你尽可能要多加关心，为湖州教育事业做点贡献。”朱家骅连连点头称是。

1934年，他回家扫墓(时任交通部长)，乡亲们和他谈起瑶玠坝没有一所像样的小学，子女上学难，要求他想点办法。朱家骅立刻答应办一所小学。没有校舍怎么办?他说，把我家的老屋让出来，争取早日开学。有人提出，请他取个校名吧，朱沉思了一下，站起来，笑着指指他家大厅内挂的“鹤和堂”说，你们看取名“鹤和”好吗?在座乡亲都同声说“好”。朱回南京后，立即派了交通部帮办王承先负责筹建鹤和小学事宜。1934年秋，小学开学了，瑶玠坝百姓奔走相告，像大喜临门。开始，该校仅一二年级和三四年级两个复式班，一年后，朱改派朱赓儆为校长(系朱家骅任浙江民政厅长时创办的浙江自治专修学校的高材生)。新校长按照朱家骅的授意，增加教师，扩充设备，添筑教室，建起操场，并在校内办起一个卫生所，专为师生及乡民治病。一时，鹤和小学声誉雀起，长兴县、南浔、双林、菱湖等大镇学生也慕名而来就读。次年，学生骤增至四百余人，成为湖州地区规模较大的完小。

叶左文毕生攻研宋史

汪振国

予与叶左文先生同为浙江省文史研究馆馆员，但相识早在解放以前，对叶先生是敬之爱之,亦师亦友。

叶籍隶兰溪,家住开化,清末癸卯科举人,闭门读书,不履仕途,毕生攻研宋史,积稿盈室,与马一浮、马叙伦、张宗祥诸先生相友善。1944年,予任开化县长,循旧例,新官上任要拜访当地士绅。予第一个去拜望的是叶先生,名片递进去,被退回了,新任“父母官”拜客被挡驾,这或许是少见的。旬日后,只身往访,他躬身门外,不延予入室，只好回步。第三次乃只身径造其书房,彼见予至,停笔起身让座。我坐另一椅上,彼亦虚其席侧身另座。予曰:“此来拜候先生执弟子礼,幸勿以地方官视予。”彼莞尔笑曰:“先生过谦”,别无他言,气氛难以久坐,起身告辞,彼亦未回访。以后多次往访,只谈读书治学,不谈政治。过往增多,不再似初见之拘谨矣。一次询以民间疾苦及为政之道。他手书两句云:“立政思悬棒,施刑恤庶民。”“悬棒”是曹操曾任尉官小吏,门悬五色棒,力挫豪强的故事。他写这两句话,意在勉予爱民、惩暴。在开化四年,予始终

以师礼事之。1947年予调任临海，别时，赠我《北山年谱》手稿一本，半身照片一帧，照片背面题有自挽诗两句："死以青蝇为吊客，生延明月伴题诗。"其孤高自守，殆空谷之幽兰欤。

解放后，先生受聘为浙江省政协委员来杭开会，住环湖旅馆，我去看他，时予因被错划右派，长期失业，形容枯槁，衣履不全，见面时，以双手拊予臂，熟视良久而言曰："先生竟一寒至此。"予为转移话题，问以对宋史整理情况，他说"精力不济，欲罢不能"。辞出时，又送予至湖边小坐，一再询问我家人子女生活情况及住址，谓当来看我，为阻其来访，未以住址相告。时当深秋，注目湖上，浮凫逐浪，岸柳萧疏，寒气袭人，恐其受凉，一再请其回步，他伸手入怀，摸出一手帕包的钞票，塞入予之衣袋，并喟然叹曰："廉吏可为而不可为。"我竟泪凝眼角，无言以对，回家视之，计人民币75元，盖尽其所有以赠予矣。长者之风，令人难忘。此后即未再晤，盖已物故矣。所赠《北山年谱》手稿及照片，十年浩劫中，已毁於"秦火"。陈北山，开化人，乃南宋一爱国官吏，反对投降，受秦桧之排斥，出为嘉兴知府。叶先生写《北山年谱》是在抗战期间，年谱中曾引北山诗句云"万里江山胡尘内，半顷西湖歌舞中"。亦可见先生于此时撰写此书，用意良苦，乃藉以稍抒爱国之情怀，深虑步南宋之旧辙。

“小三元”张天方

周采泉

张凤，字天方，嘉善人。读书过目不忘，才智过人。年十余岁，即以“小三元”成诸生。(清制，童生考秀才，得经多场考试，除第一场发圆榜无名次外，其余皆定等次，三场咸获第一者称为“小三元”。)资送留学法国，获博士学位。曾为拿破仑遗属任家庭教师，为法人所重。回国后，历任各大学教授，编一册《张凤字典》。《字典》已绝版，不知与他家有何异同？但以一人之力而成巨编，其淹博可想。1931 年辑《汉晋西陲木简汇编》初编、二编，并撰释文，与罗振玉《流沙坠简》并为世所重。抗战中，避地西天目山，讲学不辍。胜利后及解放初期，失业家居。闻曾一度任嘉兴图书馆馆长。“反右”后“文革”前，经姜亮夫教授大力推荐，杭州大学罗致来校，挂名中文系，前后约二年，无职称，不开课(其实他可开之课，如考古学、文字学以及法国文学等均其所长)，竟投闲置散。其后由校推荐给省文史馆为馆员，回原籍居住。不久，“文革”事起，张先生亦逝世。

张先生对经学、史学无不淹贯；古文辞、诗、词无不工。尝以《全韵诗》两首示余，按“全韵诗”有两种，其一为“一东”至“十七洽”，不问平仄，每

韵一诗，杭堇浦(世骏)《咏梅》即如此作，有选韵自由，尚不算难；张先生的“全韵诗”则取一韵从首一字，至末一字，循序十韵，越是到最后几韵，不仅是“险韵”，简直是“死韵”。有好多字，读者不知音义如何措手，张先生却得心应手。不但如此，还将各韵倒押一遍，更创诗坛未有之奇迹。虽然这样做诗是在“做韵”，不足为训。但不是编过“字典”者，谁能识这样多奇字而加以运用。

张先生又解医，知脉理，他读了清代一位名医《论理骈文》一书，觉得可以济世，因按照《骈文》所介绍的验方，熬药敷成膏药，贴敷病家患处，施行治疗。用他的话说是“给皮肤吃药”。膏药只一种，患在表面者，贴患处；患在脏腑者，则按脉络经穴贴，往往有意想不到之效力。因之，远近慕名来求治者踵相接，皆不收谢礼。为了方便病家，尽在松木场茶馆中，携药施诊，深入群众，人皆称其术之神，风格之高。而校方却以影响校誉为藉口，遣其返回原籍。张先生时年七十余，银髯飘拂，精神矍铄，极有风趣。

秦彦冲辑印谱

周采泉

秦康祥，字彦冲，鄞人。其祖均安为上海钱业巨擘，其父不能守成，所经营之钱肆折阅，动摇全沪钱业界,引起轩然大波,导致全沪骚动。时宋子文任财政部长在杭休养,闻之亲自赴沪调停,发公债五百万元以弭平此一金融风潮,故名为“金融公债”,其影响之大可知矣。秦氏家虽破产,“百足之虫,死而不僵”,固犹一巨富也。彦冲不事家人生产,喜从名士游,能治印,尤喜为名家辑印谱。为沙孟海辑《沙村印式》,沙老有为朱祖谋丈所刻数印最为得意,奈藏家因事下狱,彦冲设法保释其人出狱回家取印,听其钤拓,用毕归还其家,其勇于任事如此。某年西泠印社年会,彦冲携一方大端砚来,请到会社友镌名其上,当其握刀、奏刀时摄入影片,以资观摩,沙老甚称其设想之妙。西泠印社八十周年纪念有《社员题名碑》,时彦冲已故,创议者固彦冲也。彦冲好收拾竹刻,凡《竹人传》所载“行人”作品,巨细不捐。

浙大学生千人上书挽留竺校长

叶炳炎

1947年11月上旬,浙江大学竺可桢校长召集学生自治会代表开会,告诉大家他要辞去校长职务。他说,治安当局抓人,你们罢课,闹个不休,我说话没有用,负不起校长这个责任,只得辞职,别无他法。

那段日子，抓人、罢课，确实闹个不休。竺校长讲这话的上一个月，浙江保安司令部就逮捕了浙大学生四人。不久，于子三在狱中给杀死了，在押三个同学被判七年徒刑。噩耗传来，群情激愤，为声讨政府暴行，全校罢课。南京教育部部长朱家骅得悉后，密电解散浙大学生自治会。

1948 年 1 月 4 日，流氓特务六七十人闯入浙大校园，冲散为于子三送葬的学生队伍，并打伤三人。当局如临大敌，在学校附近庆春路、东街路上，设置铁丝网，重兵把守，严防学生上街游行。这一暴行，激起学生再次罢课抗议。不久，浙江省主席沈鸿烈向竺校长提交逮捕浙大共产党员三四十人的名单。竺校长非常痛心，一再对沈说：“处置学潮，不能用武，须以德服人。”并说：“学生多是优良子弟，吾人总须爱护青年，不能因其喜批评政府而开除之。”

接二连三发生的事件，迫使竺校长一再向师生表示坚决要辞去校长职务，苏步青、谈家桢、张其昀诸教授再三劝慰，均无效。

学生自治会认为竺校长民主办学，热爱学生，决定发动一次挽留竺校长的签名运动。学生自治会的干事在膳厅入口处摆上长桌，上置大张白纸，备有笔墨，开饭时招呼同学签名。不到两天，在校的同学几乎全部签了名。2 月 4 日，学生自治会代表谷超豪、陈业荣、李景先等人捧着上校长书和一千一百三十九人的签名册晋见竺校长，恳请竺校长继续长校，勿弃莘莘学子而去。校长听后为之动容，但仍未打消辞意，只云余不会挂冠不顾而去。竺校长长校直至解放前夕。

王国松行医

茅蔚然

抗日战争时期，浙江大学迁往遵义。当时学校虽有校医，但医疗条件很差，特别是西药十分缺乏。工学院院长王国松运用他年轻在家养病时学到的中医知识，常在教学之余，免费为同事、同学及家属看病。有一天，工友李海春奔进王国松的家，一见面就跪在地上流着泪说："王先生，救救命吧！"王国松急忙将他扶起，请他坐下，问明情况，原来他的孩子得了百日咳，咯血不止，病情十分严重，请王国松开张药方。王国松一面安慰工友，一面详细询问病情，又到病家看病，经过反复推敲，开了一张药方。孩子服中药后，病情终于好转。王国松医治伤风、咳嗽、腹泻、流鼻血等症，开上几味中药，相当灵验，因此他的医道很受人称赞。

一个绰号叫"黄毛"的学生黄焕焜，因久病须发掉光，也在王国松的医治下得到康复。

王国松是美国康乃尔大学的哲学博士，又通中医之道，浙大师生员工都赞誉他为"博士行医"。

程世榕舍家救难童

汪振国

1938年1月，日军迫近金华，时迁至金华的浙江省政府员工及家属紧急撤往永康，当时金华救济院收容有战地难童数十人，政府无暇顾及。金华商会会长七十高龄的程世榕，弃家不顾，全力抢救难童及医院药品数十箱，运至永康，难童安全无恙，药品无损，而他自家财物受损失。这种公而忘家的崇高精神，受到人民的尊敬。他去方岩见到省主席黄绍竑时，黄对他抚慰备至，问及他家产损失情况时，他淡然不以为意。嗣后负责救济院工作，竭尽了全力，该院难童逐渐增至数百人，他一直和这些失去家园失去父母亲人的儿童生活在一起，关怀爱护，仁者之心，足以风世。

大博士教小学生

彭君礼

1932年冬，朱洗从法国学成回到生他养他的故乡——临海双港店前村。眼见离别十三年后的家乡，仍是贫穷落后，心头沉重。他以革除陋俗，改造社会，振兴中华为己任，决心通过办学，启发民智，洗刷愚昧，培养人才。1933年春，他在店前村朱姓祠堂独资创办店前小学，亲任校长并兼课。“大博士教小学生”，一时传为美谈。后朱洗去广州中山大学任教，把校务托付三弟朱玉成。朱洗在外省吃俭用，将大部分工资、稿费充作办学经费，学校蒸蒸日上，并迁址村前琳山之上，盖新楼房，设图书馆，开标本室，建种植场，辟果木园。至1938年，学校发展成为小学、初中、农校三位一体的新型的“琳山初级农业职业学校”。朱洗亲撰校歌歌词，以“且工且读，心手并劳，变除陋俗”为办学宗旨；又亲自设计校徽，图案中间一“工”字，两边贴以“心”、“手”二字，表示“心手同工”，亦即“心手并劳”之意，将新型脱俗的勤工俭学形象化、诗意化。朱洗又礼聘翻译家许天虹、文学家陆蠡，先后来琳山执教；后来又请上海友人陆静霞女医师开课，办起简易医院，推广新医新药和卫生教育。抗战期间，琳山学校名扬台州，播誉浙江。

郁达夫的原配夫人孙荃

蒋增福

孙荃，原名兰坡，小字潜媞。荃，是郁达夫婚前赠送给她的名号,语出《楚辞》。孙荃1897年出生于富阳宵井村,二十岁同郁达夫订婚,三年后成婚,育二子二女。1978年3月29日在富阳郁达夫故居去世,享年八十二岁。

孙荃的娘家算得上大户人家,由于家境富裕,她从小就读书识字,十七八岁已成为乡间有名的才女。婚后受郁达夫的影响,逐渐成为一位有相当文学修养的女性,她写过不少诗,还写过一些反映时代的论文和杂记,很得郁达夫的赞赏:“文字清简,已能压倒前清老秀才矣!”“佳句也,已欲与文诗相抗矣!”(这里的“文”,乃指郁达夫自己,郁达夫名文。)孙荃为人谦抑自牧,对自己的作品从不自珍,如《秋闺》一诗:“风动珠帘夜月明,阶前衰草可怜生。幽兰不共群芳去,识我深闺万里情?”可见其写诗的功力。郁达夫曾收集了孙荃早期的作品(1917—1920)取名《夕阳楼诗稿》,可惜这本诗集至今没有发现,只能从郁达夫的日记和书简中查检到二十首左右。

孙荃与郁达夫婚后相处的年月里,更多的是“贫贱夫妻百事哀”。这在郁达夫早年著作《茑萝行》、《一个人在途上》等篇中都有着催人泪下的记载。1921年孙荃随郁达夫去安庆,1924年又带着龙儿从南方到了北京,夫妇俩先是在郁曼陀家住了一个多月,后搬到什刹海北岸一所小房子去住。郁达夫的大部分小说,包括《春风沉醉的晚上》、《薄奠》等名篇,都是在这段时间内完成的。1927年,郁达夫在上海和王女士同居,孙荃只得结束北京的家庭，带着儿女回到富阳，茹苦含辛地课儿教女，直到他(她)们大学毕业。孙荃和郁达夫分居后就吃素念经，直至去世。

茹志鹃在武康初中

孙建国

当代女作家茹志鹃，三岁丧母，父亲离家出走，自幼随祖母做手工糊口。她十三岁时，祖母谢世，失去惟一依托。从此艰难辗转，其间曾就读于武康县立初级中学。

武康初中系抗战时期收容沪杭内迁青年的一所学校。1940 年 8 月，为避免敌寇骚扰，校舍迁后坞，两个月后毁于兵燹。翌年 2 月，学校再度迁徙，至安吉晓村。茹志鹃时为秋三班学生，全班二十六人仅五名女生，她以刻苦好学，开朗活泼闻名校内。茹志鹃在这所学校虽然时间不长，但她的文艺天赋却得到了充分的崭露。可以说，她日后的文学创作道路就是从这里起步的。

1942 年“五四”青年节，武康初中响应德清县民教馆发起的“全县歌咏比赛”，组织了十四名男女学生参加角逐，茹志鹃便是其中之一。比赛结果，武康初中囊括了前三名，茹志鹃以一首哀婉动人的《难民曲》荣获冠军。

茹志鹃在武康初中，不仅会唱会写，并有演

讲天赋。毕业前夕，学校曾在周会举行演讲比赛。茹志鹃以题目新颖，姿态自然，发音准确获第一名。

茹志鹃从武康初中毕业后，即赶上海私立颐生小学任教。

浙江最早的集邮组织——新光邮票会

张包子俊

1923年春，张包子俊、凌能夏、李弗如、陈念祖、郑汝纯、潘光震等十多位集邮爱好者，每逢星期六下午，经常在基督教青年会聚集，互相观摩邮票，品评邮票价值，畅谈集邮心得，考证邮票历史，研究邮票风格，相互交换邮票，或取人所有，或谋我所缺。这个集会取名为“新光社”。这个社还有包括音乐、歌咏、棋类、乒乓球等活动，这就是我省最早的邮协雏型。一年以后，随着集邮活动的发展和扩大，张包子俊等人商量后，划出了音乐、歌咏和乒乓球等活动，成立单独的集邮组织。1925年正式成立《新光邮票研究会》(简称新光邮票会)，这是浙江省最早的集邮组织。由柴冠群任会长，凌能夏任副会长，张包子俊和钟韵玉负责出版和宣传，还有评议李公惕、莫星白、徐景盂、徐荫祺，研究卢炳梅，中文书记李弗如，英文书记陈念祖，日文书记王抱存。当时有会员近四十人，会址设在严衙街八号。驻会工作人员是张包子俊和钱叔安(义务)。《新光邮票会》为集邮爱好者探索邮票知识，交换邮票；同时，通过鉴赏奇珍，评议孤品，大大提高了邮识，因此，获得广大集邮爱好者的拥护和支持，纷纷要求入会。到 1936 年，人数增至五百六十九人，团体会员六十二人，会员遍及全国。

1937 年“七·七”事变，日寇入侵，杭州沦陷，会所为敌所占，会员迁徙流离，许多人下落不明，《新光邮票会》会务只得停顿。1938 年 2 月，张包子俊迁居上海，曾邀请在沪会员，先后举行聚餐会和茶话会，商讨成立和恢复新光会务，会务活动又有开展。1939 年 7 月 25 日，《上海邮票会》举行会员大会，推选张包子俊、张赓伯等二十四人为理事。在第一次理事会讨论了组织法，确定设会长和理事长，选举张包子俊为会长，张承惠为理事长。此后，《新光邮票会》的活动中心移到了上海。

傅东华的教风

桑雅忠

我于 1941 年秋考入暨南大学英国文学系，

当时学校已从真如迁到上海公共租界康脑脱路(今康定路) 的一座洋式大楼房里，成了弄堂大学。学校聘请来的教师乃是一流的,如郑振铎、周予同、孙大雨等。教我大学国文的是赫赫有名的傅东华先生。

班上只十来个学生。傅先生上课不苟言笑,一板一眼的。他讲的,对我们刚从中学上来的学生来说,全是些高深莫测的东西,古奥难懂,这大大出乎我的意料，我原以为他只是一位大翻译家,哪里知道他竟有那么深厚的国学根底。

他出的第一道作文题是《如果人类没有语言》。他发给我们几张原稿纸,要求当堂完稿。我写了上千个字，文中写了柴门霍甫为沟通人类的思想创造世界语之类的事。第二个星期作文发下来,我得了个“丙”,很伤我的自尊心。但也有使我感动的,在我作文稿纸的上下天地间,傅先生用毛笔密密麻麻写下了千把个绳头小字的评语。他批改之认真远比我写作之用心更甚,先生如此教风严细,使我肃然起敬。

可惜,我们只听了傅先生两个月的课。1941年底,太平洋战争爆发,日军进入公共租界,暨南大学内迁福建建阳。傅先生去建阳路过金华老家时,为侵略军所阻。

忆赵景深教授

桑雅忠

1940年,我在上海青年会中学。晚上,上华光戏剧学校。学校在福州路,校长是茅盾的小舅子孔另境,给我们上课的有著名的演员唐若青,有大学里的教授。给我们印象最深的是赵景深教授了。他教戏曲史,采用周贻白的《中国戏曲史》为教材,但他从来不翻书。他上课又扮又唱,诙谐风趣,他曾闲谈起他自己的一件趣事。他说,他不修边幅,又乏风度,有一年,大学开学,他一早就到学校,迎面走来三位新入学的女学生。那三位女学生把他喊住,差他上街去买生煎包子什么的。他接过钱,照办了。后来,上课铃响了,他跨进教室,那三位女学生大为惊讶,下课后即来道歉说:“我们以为你是工友呢!”

我还记得当年的青年差不多都有一本小小的纪念册,碰上名人,就请题写几句勉励的话。我们请赵先生题写时,只见赵先生的钢笔尖在本子上飞速画起符来,直到他提起笔尖,本子上赫然出现“赵景深”三个空心字,飘逸潇洒,他这一手,可称一绝。

华光戏剧学校学生不多,有这样的生动活泼的教法,这样亲切的师生关系,难怪培养出了一批杰出的艺术人才。

失传的杭滩

钟韵玉 稿　洪昌文 整理

滩簧在江浙两省是流行的地方剧种，它唱而不演。浙江省有杭滩、绍滩、甬滩、姚滩之分。杭滩是用杭州方言弹唱的。它肇始于清朝乾隆、嘉庆时期，由弹词、文书、宣卷中撷取精华，羼入昆曲词调演变而成。唱词大体以七字句唱出，而杂以道白，并用弦乐佐唱。有由五人分操鼓板、二胡、镗锣、琵琶、三弦的五档，加笙、笛的七档，加月琴、箫的九档，增锣、鼓、铙、钹、唢呐的锣鼓滩簧。唱词取材于弹词、话本、宝卷、演义、小说，如《白蛇传》的"断桥"、"借伞"、"盗草"、"水斗"、

"合钵"、"祭塔",《珍珠塔》的"见姑"、"赠塔"、"劫塔"、"羞姑"、"道情",《花魁女》的"劝妆"、"接吐"、"独占",此外如"思凡"、"下山"、"梳妆"、"跪池"、"出猎"、"回猎"、"刺目"、"麻地"、"单刀"、"扫秦"、"游殿"等共有二百余出,因为要迎合喜庆,还有《百寿图》、《张仙送子》等出。杭滩原为旧时家庭妇女所乐听,至光绪末叶,因有个别艺员行为不检,涉及与闺阁有暧昧事,致遭禁止。辛亥革命后,由陈效期申请改名安康正始社,表示从此安分守业,在东浣纱路见仁里口重又组社,并由王少庭在皮市巷组织副班。因为逢到喜庆大满棚日子,延邀的人家不少,一二副班底不够应付,有些人家唱了白天还要加夜场(称为接烛);遇到喜庆寿辰,预付唱费外,还要送红色喜包,有的人家唱完,邀请艺员吃寿面宵夜。因为杭滩艺员算是文场,唱词多诗词典故,温文尔雅,所以不看作低三下四的人,称艺员叫先生。还有些爱好杭滩的人,平时学会弹唱,遇到亲友家有唱滩簧的,偶尔会参加串唱一出,这种人称为玩客。

解放前,由朱少伯主持社会,他鉴于只凭坐唱,已不能满足听众的要求,曾在杭州大世界小剧场演出化妆杭滩。这时有一种模仿扬州调的武林班应时而出,因为是新生剧种,也用杭州方言唱,演员年轻,加上扬州调正风靡一时,所以化妆杭滩难与角逐,渐趋于衰落。解放后,朱少伯还曾为杭滩作了种种努力,他培养了一班女艺员，在知味观隔壁茶室楼上演出，但后来杭滩逐渐消失了。

堂鸣清音的衰落

钟韵玉 稿　洪昌文 整理

清音，杭州人叫作堂鸣。以前在杭州有秀华堂、金玉堂、荣华堂、三庆堂、余庆堂、群玉堂等十几家，每家有几个班，由二三个成年人当管事，其余是十多岁的少年组成一班，配有大件锣鼓吹奏。大户人家遇庆寿婚丧需“堂鸣”，则事先向清音班订期并付款，届时派杂工挑来两大木箱及长条凳，箱内盛乐器、衣服外，有活动装拆雕花金漆木板，可搭成方形小室。室内置两张方桌，两边列长凳，桌上放乐器。清音班到后，先换衣服，戴垂须折帽，穿平襟衫，形如京剧的跑龙套，衣帽颜色一律，喜庆用红色、紫色，丧事用黑、白、绿色。开始先整队上堂递手本，是一张堂名单帖，然后分列两边用笛、小皮鼓、镗锣等小乐器演奏，并由领队二人至中堂行礼，称为参堂。然后退至所搭小室列坐，遇有宾客来临，即须吹奏乐器；设宴时须奏乐并唱京剧、徽调、昆腔、乱弹。遇庆寿及结婚后新人向长辈见礼、做三朝、五朝、满月，清音班须及时到场分列两旁奏乐。这些少年，杭州人称为堂鸣芽儿，向主人

领受赏封都要请安的，平时由堂内延请教师传授唱词及弹奏乐器技能。他们都是贫苦市民的子弟，家中无力养活，借此糊口。解放后，习俗转移，这些清音班全部停止。

越剧史上第一个编导和第一部剧本

洪昌文

“越剧”原先演唱的都是“路头戏”。所谓“路头戏”，就是演员在台上说唱、表演都没有准唱词、准场子、准站位、准动作，根本也没有剧本，大都是由老艺人口头传授，派戏师傅讲一个故事梗概，根据故事里的人物，临时指派某人饰演某角色；各人又根据故事的情节，便自编、自演、自唱起来，加上师傅平日所教的一整套程式化的“赋子”，靠演员自己在台上运用恰当和自由发挥。但这种戏，天天反复循环演出，终不免有使观众看腻的隐忧。到了20世纪30年代，竺素娥、姚水娟等人担心光演老剧目，观众会渐生厌倦，长此下去，总有演坍的一天。必须另想办法，闯开新路，因此想请一个编导来改编新戏。

1938年，《大公报》记者樊迪民因战乱从武汉避居上海，经他小学时期同学的爱人张星祯

的介绍，认识了“越吟舞台”绍兴女子文戏的名旦姚水娟。姚水娟就聘请他为“越吟”编写剧本，当上了姚水娟的第一个编导，也就是越剧史上的第一个编导。樊迪民编的第一个剧本是《花木兰》，这就是越剧史上的第一部剧本。于是，越剧从坐唱发展成戏剧形式，终于在剧种剧坛上取得重要席位。

方絜的竹刻艺术

严振非

清末，黄岩的竹刻艺术，被誉为“无上逸品”。黄岩竹刻艺术，首推清道光中叶的方絜。

方絜(1800—1838)，字矩平。自幼习宋代著名画家郭河阳等人的笔法，擅长画石刻竹。因家境贫寒，离母别妻，四外流落，在嘉兴结识了著名的收藏家、考据家张廷济，为其刻竹《清仪阁图》，张赞不绝口，评曰：“三百年来竹人传中无此人也。”后他又为浙江巡抚阮元作80岁刻像，有“庞眉皓首，如镜景澈”之称。江浙文士纷纷求索，以得一竹刻为幸。方絜以微薄收入，寄家养老母弱妻，自己一贫如洗。道光十八年(1838)，方絜患病卧床数月后逝世于嘉兴，年仅39岁。张廷济哀挽“丹旐飘零，德帷凄冷；老母龙钟，寡妻呜咽。”文人命苦，无过于此。

王梦白画猪

洪　瑞

王梦白(1888—1934),名云,祖籍江西丰城,随父流寓浙江兰溪,后定居衢州城区,自号乡溪渔隐、乡道人。年未弱冠,却蓄长须,人称"美髯公",故又自名为王髯。他是个民国初年长于画走兽花鸟的杰出画家。

自古以来,画家诗人都嫌猪既懒且脏,不屑一顾。而王梦白却突破传统之见,画猪而且画得维妙维肖,生动有趣,可见他取材独具慧眼,不步人后尘。

1920年北京画家汤定之、齐白石、陈半丁等人举办《花阴画展》,画展中大画家胡佩衡十分赞赏梦白画的《猪》,认为此画已"惊动了整个画坛"。1922年秋天,为纪念苏东坡诞辰885周年,北京古城罗雁峰邀集王梦白、陈师曾、周养安、汤定之、齐白石、萧厔泉、萧谦中、陈半丁、溥心畬、姚茫父等书画名家,作了一次"罗园雅集"的聚会,大有古代"兰亭雅集"诗歌大会之盛况。书画合作,吹笛演奏,纵谈轶闻,热闹非凡。王梦白画了一帧《猪》,陈师曾补上竹,主题鲜明,构想奇特,画面上引用苏东坡诗句:"宁可食无肉,不可居无竹。"该画颇受与会者赞赏,被认为纪念东坡

诞辰活动中最佳作品。1923年癸亥,是猪年,徐志摩请一些艺术家名流在“新月社”吃饭,席间有人说,未见有以猪入诗画者。许久,梁启超说:“清代有个皇帝,曾写过‘夕阳芳草见游猪’的诗句。”当时不少人即请梦白依该诗句含义作画,梦白欣然命笔,顷刻间画成。梁启超即将此诗句书于画端。同座姚茫父还即席吟诗并作题记。当年,梦白还画有《两猪图》,两猪一黑、一黑白,以泼墨为之,水墨淋漓,神态逼真,情趣横生。背景是一株棕树,数条竹,棕叶纷披苍劲,竹叶扶疏有致,陪衬两猪更显得生动可爱。总之,既懒且脏的猪,一旦入梦白之画,便成为活泼、可爱,富有生气的动物。其画不仅不令人憎厌,反而身价倍增,成为鉴赏家们的宠物,由此可见梦白画艺精湛。而选材不落窠臼,使人耳目一新。

吴昌硕与竹笋

蒋琦亚

吴昌硕流寓苏州时,与挚友沈石友(江苏著名收藏家)过往甚密。沈石友知吴昌硕是竹乡安吉人,从小就爱吃鲜竹笋,所以每年春笋上市,往往带些常熟象牙笋给吴佐餐,吴昌硕感激之余,见物思乡,作画吟诗以抒情。他曾在一首题画竹诗中写道:“客中虽有八珍尝,那及山家野笋香;写罢赏笃独惆怅,何时归去看新篁。"诗情画意,凝聚着吴昌硕的浓浓乡思。

有一次,沈石友又从江苏带来数十支象牙笋送给吴昌硕,他欣喜万分,连忙要夫人施氏剥壳煮笋,酒香笋更香,不仅勾起了他的乡思,更撩起了他五十多年前避难江淮,以野笋充饥的往事,兴之所至,当即挥毫画了一幅"象笋画",题诗赠给沈石友。诗句中有:"彼此吃笋吃不了,不须辟谷能长生。"

吴老晚年,流寓苏州。一年岁暮,囊中如洗,谋斗酒只鸡也不可得。他思忖后,就挥笔画四尺中堂,绘有一条鱼、一只鸡、一豚蹄、一坛酒,点染既成,加以隽趣之题语,然后嘱家人到书画市场卖之,得三金。吴老当即购鸡、鱼、蹄、坛酒,与家人共度岁暮,吴老大醉,直至元旦方醒,时爆竹声声,已新年伊始。吴老以此为生平一大快事,与友好相谈,颇为自得。

吴老年迈,曾对人说"我留不起胡子",因为数之只有二十几须。至八十岁以后,只存下十九根,他心血来潮,自刻一闲章,文曰:"无须吴。"

辛亥革命后,吴老寓居上海,艺名益噪。当时,扶桑人士对吴的书画非常钦佩,登门求墨宝者接踵而至。某日,一日本人登门请吴老绘一幅朝天葡萄,并坐等索件。吴老一听,不觉一怔,怅然对曰:"本国无此佳种,我绘就葡萄后,君去裱画作装帧后,倒挂于墙壁上,不就可以了吗?"当下,吴老以一宣纸绘了一只大如西瓜的大桃子,桃叶也肥硕异常，背景是远山，那日本客人大惑不解，就带着诘问口气问吴老："这是什么意思?"吴老从容而答："一幅画里，山小桃大，这是符合情理的。"日本客人原以索画朝天葡萄为难吴老，没有想到吴老一开始就点出"无此佳种"，意指客人无知，并要他将"绘就之葡萄"倒挂，进一步挖苦他颠三倒四。接着，挥笔画了个大如西瓜的桃子，衬之以远山，引起日本客人的惊诧，吴老以"山小桃大"合乎画情之说，再次奚落客人的无知。结果，那日本客人只能双手空空，嗟然而去。

许孙穆画蟹讽日酋

陈景超

德清许孙穆，近代名画家吴待秋婿也。为人拔俗，人目为狂。尝于春宵穿大红绣花袍招摇过市。或问其故，答云："吾自乐吾乐，旁人岂知吾心之乐哉?"擅丹青，喜作伪，近世县内缙绅家所藏俞曲园隶书、沈铨花鸟画、蔡之定行草屏条，多半赝品，俱孙穆所制也。然极有骨气，常恃才傲物。日寇侵占县城后，迁居新市镇日晖桥南曹宅，闭门杜客。时日寇一小队长闻其善画，派人强索。许推辞不得，乃许诺。一周后，画成。画面铁青螃蟹一串，俱有绳缚；左角一坛一碗，碗中满斟黄酒，色是桃花红。题句云："持螯饮酒值秋时。"日酋大喜而去。人或诘其故，徐答云："螃蟹绳缚成串，寓'看你横行到几时'之意，碗中黄酒呈红色，寓'此酒民众血染成'之意。以秋入句，因秋行肃杀之气，寇焰至秋势当杀矣。"语既外泄，惧罹非常之祸，乃迁居上海，寓巨籁达路。

普安寺贝叶经

袁六桥

嵊城东去二十里之白云山麓有普安寺，僧寮百余间，是嵊县一大巨刹，旧藏贝叶经一部。此经系宋嘉祐二年（1057），由印僧宝掌禅师携来，共二十五页，色淡黄，长尺，广二寸，两面书写。该寺一向视为至宝，藏于椟中，观时焚香燃烛，异常虔敬。

此经民初尚存，尝见裘配岳、王兆全为文说："余尝以事至寺，请于主僧，始得一见"，"写横书，若罗马之文，人莫之识"。北京图书馆副研究员张秀民老先生说："曾见法国汉学家马伯乐在越南河内远东博物馆院刊《远东学报》上发表《浙江考古之行简要报告》一文，说他"于1914年来浙江考古时见此，此经系在孟加拉所写，太平天国战乱时，寺僧携去天台国清寺，乱平携归"。又有传说曾藏于小汤锅处。小汤锅者，王贤

甲之绰号，葛竹人，系蒋介石堂房舅父。其后失落何处，人事代谢，于今查考杳茫。

陈虬改孙衣言题匾

王超六 遗稿

陈虬(1853—1904),字志三,号蛰庐,浙江乐清人。与陈黻宸(介石)、宋恕(子平)称为"温州三杰"。他主张变法维新,1895 年参与"公车上书",为浙江维新派的代表人物。

他在瑞安创办利济医院,请老翰林孙衣言题写匾额,孙写的是:"利济医舍",并叫来人传达口信,说:"院"字是中枢机构的名称,如翰林院、都察院、理藩院等,民间建筑未便僭用,而"医院"二字尤与"太医院"相抵触。陈听后,即脱口对来人曰:"甚矣哉! 子之迂也,怎么没想到悲田院、养济院也是这个‘院’字呢。”便将“舍”字剪掉，另请善写柳体的萨遇辰凑上个“院”字，刻石嵌在大门上面。前三字笔势奔放锋利，后一字浑朴严肃，尚可识别。当时院内同仁有向陈进言：要坚持用“院”字，也应全部改写，何必这样留下不愉快的痕迹！陈曰：“他能改我的那个‘院’字，难道我就不可改他的这个‘舍’字！留着前三字，才表明其中有分歧。”此匾额现尚在公园路福利院内。

吴昌硕赏识少年谭建丞

张慕槎

谭建丞，原名谭钧，别署瀓园，浙江湖州宿儒。1898 年生，4 岁启蒙，早年受吴昌硕大师指引，青年时东渡日本，辗转与当代艺坛耆宿相过从。书画、篆刻、诗词造诣俱深。李苦禅称其为“江南书画第一擘”，蜚声遐迩。

谭自幼爱好东涂西抹。他说使他最难忘的一件事是：十三岁那年，全家迁沪。有一天，他跟随伯父吉卿去拜访艺术大师吴昌硕先生，昌老刚刚画好一幅兰花，正在自得题款，见在旁呆看的谭建丞，便笑着说：“小朋友，你也来试试看么？”谭建丞真个年幼无畏，回答说：“吴爹爹！照这样乱画，我也会。”他接过昌老手中的笔，先把笔头蘸了水,饱了墨,便在一幅宣纸上乱涂了几十根墨条,还对昌老说:“请看,不是这样吗?”他伯父和另一位老人说:“没花头,不像不像。”他又歪歪斜斜地涂得满纸又湿又黑。昌老过来一看,呵呵大笑,还夸奖说:“小朋友,真个画得有条有理,不错不错。”又回头对他伯父说:“吉卿兄,你不要呵斥他,真可以啊! 兰花像韭菜,花朵像弯转,这叫做韭菜炒弯转(湖州话,虾儿叫弯转)。此子能将我的笔,先饱水再蘸墨,悬着腕着着实实地落纸,这点是可贵的。他年必能于书画有成就,且能在我之上。如果用干笔头,那就一世不成功了。”他伯父归告乃父,先前不许他画的,此后也支持其涂抹作画了。昌老一语之褒,使谭毕生衔感。

蔡元培青睐林风眠

林文铮

1923 年,蔡元培先生最后一次重游欧洲,常驻巴黎。1924 年 6 月间,林风眠、李金发、王代之、林文铮等在法国阿尔萨斯的首府斯特拉斯堡举办“中国美术展览会”,蔡先生欣然由巴黎来主持开幕典礼。在这次美展中,林风眠展出大幅油画《摸索》,轰动一时。这是以人文主义的精神,描写人类在追求真理中摸索前进。画面上的

人物内容，有古希腊的荷马盲目伸手苦索而无所得，跟着他的就是中世纪的但丁，英国的莎士比亚，德国的哥德，法国的雨果，俄国的托尔斯泰等。蔡先生对这幅画给予很高的评价，认为是杰作，在中国现代美术作品中算得是最富于哲理的。因此特别器重他。

这次美展闭幕后，蔡先生重返巴黎。不久，蔡先生又偕夫人周养浩特去巴黎郊区林风眠家作"忘年之交"的访问。1925年夏季，林风眠和法国夫人迁居外省慕容乡下。蔡先生再次偕夫人由巴黎往访林风眠伉俪，寄宿三天，畅谈而别。他知道林风眠当时生活困难，临别以一千法郎相赠。

林风眠由于深受蔡先生的知遇，1925年冬，回国任北京美专校长，其时年方28岁，即驰名京沪。但好景不长，1927年秋，奉系军阀张作霖的亲信刘哲把持教育部，摧残北京八校，林风眠亦被迫辞职。时蔡先生正在南京主持"中华民国大学院"(即教育部)，即聘林风眠为全国艺术教育委员会主委。蔡先生计划在长江以南，创办一所新型的艺术最高学府，乃派林风眠、王代之、林文铮三人共同负责，筹备设立"国立艺术院"于杭州西湖孤山南麓，以"罗苑"(俗称哈同花园)为校址，以照胆台(即关帝庙)、陆宣公祠及苏白二公祠为教室和宿舍。1928年春，国立艺术院正式成立。蔡先生任林风眠为院长。当时为了补行隆重的开学仪式，蔡先生百忙中偕夫人由南京赶来杭州主持典礼。蔡先生来杭没有住西湖新新旅馆，一定要住在葛岭山下林风眠简陋的木房子里达五天之久，让浙省人士来访者大为惊奇。然蔡先生此举有极其重要的意义。当时，林风眠在江浙的声望还不高，又年轻，仅三十岁而已。蔡先生以全国教育行政首脑身份，毅然以身作则，由衷推崇这位不可多得的艺术界英才，把林风眠在当时艺术界的地位大大提高了。正是由于蔡先生大力支持林风眠办学，从而也维护了杭州艺专一帆风顺，欣欣向荣的发展。

何香凝白马湖畔留佳作

陈帷于

1932年“九一八”事变后，何香凝因劳累过度，身体欠适，应亲家经亨颐之邀，偕廖承志来浙东上虞县白马湖畔作短期休养。何香凝在小憩期间，曾与经亨颐联名邀柳亚子来叙，柳亚子即同夫人应约而至。

那几天里，三位老友重逢，备极欢愉，吟诗作画，留下了不少佳作。何香凝画了一幅《岁寒三友图》，请柳亚子题诗其上，诗兴素豪的柳亚子欣然命笔：“炯炯长松不世姿，罗浮消息证南枝；可容添我作三友，劲节虚心洵足师。”深情厚谊，跃然纸上。何香凝还特意为她儿媳经普椿写了一幅《枫叶菊花图》,画面上是一株经霜发红的枫树和一盆黄花烂漫的秋菊，她也请柳亚子题诗,柳亚子立即饱醮浓墨,题写了一首七绝："拈毫为汝染云笺,名父家风女亦贤,写出江村好风景,黄花红叶晚秋天。"事隔五十余年,斗换星移,哲人虽逝,遗爱长垂,这幅珍贵的画作和情深意挚的诗句,当留芳人间。

余绍宋书画生涯

黄萍荪

余绍宋(1883—1949),字越园,别号寒柯。浙江龙游人。幼年随父攻读于羊城。早岁留学东京,攻读法政经济。归国后,一度继阮性存长杭州法政专门学校。后曾任北洋政府司法部政务次长。

余工书法,擅右军、张旭、孙过庭笔意。稍后,从汤涤(字定之)学画,以天资较高,又能匠心独运,进展自速。惟其时京师书画家如齐白石、陈汉第、邵章、陈师曾、溥心畬等,均已知名海内,余绍宋尚未露头角,然而他能周旋于这些名家之间,观摩研讨,虚心问难,而与陈师曾、陈汉第(字仲恕,号伏庐,善写竹)交谊尤笃;又有机会获睹历代大师的真迹,朝夕把玩,久而犁然判于心目,字画益见精进。1927 年,北洋政府解体,余氏南归，筑室湖上，名其堂曰“寒柯”，楼曰“归砚”。

余绍宋的山水画属于戴熙(醇士)一派，然亦不泥于古，能常变其法而别出机杼。识者倒并不喜欢他那种设色浓厚、重峦叠嶂的青绿山水，而欣赏他近乎新罗山人、倪云林、董香光、米元章之辈的写意之作。看去寥寥数笔，实则远山近树，云烟沓蔼，小桥流水，一老杖策，着墨不多，机趣天然。盖文人画之可贵者，就在这一洗尘俗之处。我常和他半开玩笑地说：“先生何不妨多作此类既耐人寻味，又可省却若干功力吗?”他听后笑答：“我岂不知省力，不得已也!按润例，写意之笔七折收费，但是我的主顾不爱在折扣上打算盘，他们送一张纸来，就是要你满纸是画才高兴哩！设色，加倍取值，他们也不在乎，只图好看而已。因为这些主顾中，有的是有了别墅离宫的暴发户；有的是买去孝敬上司的宦海中人；有的持赴南洋、东京等地去跑“洋庄”的……，这样，我的简笔便成了专为方家、法家服劳的应酬之作了。惟其为方家、法家服劳，虽说应酬，却不敢草率从事，怕先生们为我做反面广告啊！”

20世纪30年代初至“七七事变”前的数年，正是余绍宋卖画鬻书的黄金时代，每年收入仅次于上海的张大千、吴湖帆、冯超然等。代理店有杭州太平坊的浣花斋和上海、北平两地的荣宝斋等。

丰子恺治牙赠书画

李康贤 文　茅蔚然 整理

1947 年秋，易昭雪在杭州性存路开设了牙病诊所。一天下午，丰子恺神态洒逸来到易的诊所。他说长期以来牙痛难忍，希望易能替他祛病回春。经易仔细检查，确定有 17 颗牙齿得了牙周病和龋齿病，便建议拔除。化了十几天时间，分几次拔除全部病牙，拔完后，又镶上了假牙，前后花了几个月时间。

一天，丰子恺邀请易昭雪在延龄路“陈正和”酒家便酌，特地煮了几斤湖蟹助酒。席间，丰子恺用新镶的假牙咬蟹腿、嚼蟹钳，甚觉舒适，不禁大喜。稍后，丰子恺就陆续送字画给易昭雪，其中有一张书法的内容大意是：义齿如义子，日久之后，便会孝顺起来……。易昭雪便将这张书法挂在诊所的墙上，被另一位著名书法家张宗祥见到，张也送来一幅书法，上面却写着：子恺年侄差矣，岂可将义齿比义子？须知历史上义子背叛义父者多矣。以后，名家马一浮来诊所见了，又写了一幅书法送来，针对二人所说，提出自己的不同看法。这三幅书法，在诊所里组成了小小的展览，一时成为趣闻。

奇才画家郑祖纬

洪　瑞

郑祖纬，浙江浦江人，杭州西湖艺专毕业，为潘天寿教授入室弟子。山水、花鸟、人物、走兽无不擅长。其长帧大幅往往成于灯下，气势磅礴，奇变不可一世。1931年，郑二十四岁，在杭州举行画展，观众为之倾倒。谁知翌年因患伤寒症而去世。艺专全校师生开追悼会，潘天寿教授痛哭达旦，辍食数天，林风眠院长含泪搜集遗作，沉痛地举办郑祖纬遗作展览会，由是郑君之画，誉满钱塘，名震东南半壁。白龙山人王一亭展卷之余叹道："奇才出世，我侪徒抱残守缺耳!"吴待秋先生赠诗数首，中有"几番梦里睹仙华"之句，仙华山是浦江县内之奇峰，郑祖纬号"仙华山人"，他把奇峰和画家的奇才结合在一起了。展览会上师生和来宾一边看画，一边赞叹一个二十五岁的青年，尺幅之间，却无粗心浮气，老笔纷披，神韵自然，独具一格，实为难得。有日本领事米内山爱中国画，赞赏祖纬的画，曾托人向郑君求画。有次要求画扇，送来了二十元，祖纬拒之，后来又送上，祖纬为了交学费才收了下来。米内山对他说："你毕业后一定到日本留学，以发扬东方艺术!"米先生还撰文登报嘉奖祖纬画

之成就说:"江南恢复艺术界，全寄希望在郑君祖纬肩上。"1932年上半年,米内山又向祖纬求画,表示亲热友好。有人谓米内山有一妹拟许配给他。这次祖纬画了一幅水牛,水墨淋漓,粗笔豪放。可是米内山嫌水牛不工细,牛头过长,评三评四。祖纬听了大不以为然,又很气愤,随口骂了一句"倭子鬼"。一个翻译即向米内山说:"他在骂你啦!"由此内山便不声不响地走了。郑祖纬也就不再理睬他,毅然拒绝了内山的资助,并创作了《首阳二难图》。画长一丈六,上题《采薇歌》:"登彼西山兮,采其薇矣!以暴易暴兮,不知其非!……"伯夷、叔齐两人面黄肌瘦,傲骨凛然,气势磅礴,表现出中华民族优秀儿女的英雄气概。此画衣纹用乱柴破笔皴,先干后湿,外润内枯,有笔纵稠密处,有取势疏引处,气如山岳,势似松柏,嶙嶙有骨气。

丁梧谐谑

陈景超

丁梧,字凤岗,武康县城区人。善书法,尤以小篆见长。为人不修边幅,好谐谑,喜撰对联,虽词句不工,却语多滑稽,乐为人道。民国八年(1919)七月中元,俗例延僧诵经,超度亡灵,称盂兰盆会,丁梧撰一联榜于法堂,联云:"讵知道,鬼犹求食;莫怪他,死也要钱!”翌年,县内实行普选,参与竞选之乡绅无不暗中拉票,贿赂风行。某绅油印面券多张,凡投其一票者,即赠面券一,持券可至饭馆吃肉丝面一碗。丁梧撰一联贴于戏台两侧,联云:“地狱公开日,饿鬼活动时。”时人谓其讽刺入木。

民国十一年(1922),新任县长李文鄺到任,身带随从忒多。丁撰一联讽之曰:“今年鬼比去年多,来日人较昨日苦。”市民咸称其胆识。民国十九年(1930),武康大旱,田地龟裂。城隍庙道士与上大寺和尚联谋设坛,拜忏念佛,祷神求仙,惑称祈雨。越三日,片云不起,骄阳依旧。丁乃撰联一副贴于祷坛云:“城隍庙九道士铙钹叮当,敲出满天星斗;上大寺十和尚笙箫缭绕,吹得万无云。”一时传为邑人笑料。

印人张咀英

周采泉

咀英,字鲁庵,镇海马径张氏。咀英少延师教读,既长从赵叔孺(时棡)学治印。生平有二特长,为印人所称道。能以钴钢,监制刻字刀,锋厉无比,得者宝之。另一则为制印泥,先以艾绒研细,漂去杂质,使纤维轻柔若柳絮,用箭头朱砂研细拌匀,而最关重要者则为印油,必先取香油密封置屋檐下，听其曝晒，使其浓缩存三分之一，然后取用，则洁白醇厚，胜篦麻油，故所制之印泥，超过“僭泉”及“西泠”两家产品。刻字刀与印泥，皆用以自娱为非卖品。

奇女子张曙蕉

周采泉

张汝剑，号曙蕉，镇海马径人，为张子云茂才次女，金石家鲁庵之姐。少时受家教，更延师教读，于旧学有深厚根底。性倔强，崇尚自由。张氏在杭州开设张保康药肆，经营数世，家颇殷富。受门第观念，论婚同邑董氏，曙蕉坚决反对，拒绝聘礼。卒以拗不过封建势力，适董樵浦，非其愿也。樵浦席丰履厚，只图享受，日与诸纨袴，呼朋引类，酒食征逐。曙蕉屡劝不听。客有讥樵浦惧内者，曙蕉闻之，以巴豆和酒以进，客饮之皆腹泻。越数日，客又来，曙蕉使侍女问曰：“诸位嘲姑爷惧内，前晚之酒味如何?”诸客始知前夜酒之异味，实有以惩之，自是客稍稍敛迹，然樵浦终无迁善意。曙蕉知难与偕老，决意离去，时已育一子。一日，戏谓樵浦，我观汝有喜新厌旧之意。我愿让贤路，汝可拨一笔生活费给我，我自动离去，又何必在法庭办离婚手续。樵浦以为戏言，姑依其所言，割财产一部分，立“休书”

予之。曙蕉得“休书”后即抱子离开董氏，寄子于亲戚家，自以同等学力考入武汉大学。毕业后，任甬江女子中学教师。我去看她，她已信佛，号圣慧居士，赠我自印之《般若花》一集。其后皈依太虚法师，祝发，女子祝发者例称比丘尼，她因能讲经，故自号“本空和尚”。她在上海居士林讲经时，我也去听，法相庄严，声音宏亮，听者动容。自出家后在慈溪北门外建立“伽耶农林”以为习静之所，有“夕阳影里补袈裟”句为人传颂。“闺秀”“号外”一人兼之，可谓奇女子也。

端方赠孙诒让拓本

王超六 遗稿

王懿荣于光绪二十五年(1889)发现甲骨文，仅发现而已；丹徒刘鹗作《铁云藏龟》，仅作古董鉴赏而已；而孙诒让以“蒙治古文大篆之学四十年，所见彝器款识二千种”，作巨著《契文举例》，为甲骨文字学开山鼻祖。郭沫若于 1964 年初夏，专程来温州瑞安，参观孙氏藏书的“玉海楼”，兴致勃勃，挥毫题字：“甲骨文字之学，创始于孙仲容(诒让)，继之者为王观堂(国维)，饮水思源，二君殊可纪念。”

孙诒让在“蒙治古文大篆之学四十年”的过

程中，端方赠以秦大骢杯拓本，请为审定，因复作考跋，刊入孙氏《籀庼述林》卷八。

光绪三十二年(1906)丙午，端方以所收藏埃及古刻拓本寄赠孙诒让，有题记云："丙午，自欧洲考政归，过埃及古国，游其开罗旧京，得五千年古刻，特拓寄仲容先生鉴。"孙氏复之诗云："升庵岣嵝纷售伪，黔徼红崖亦渺茫。谁识西航琛赆外，一拳古石见鸿荒。""七诫摩醯著录初，西来景教此权舆。沮苍文字重瀛隔，犹有佉卢别体书。""朝日隆仪亚甲传，撒根古记五千年。奇文佚礼烦甄考，远在羲和柳谷前。"

《契文举例》成书于1904年11月，而孙氏于1908年逝世，至1913年书才刊行于世。盖此书孙氏生前校写副本寄端方。辛亥革命爆发，端方死于蜀中，其家藏书散出，流入沪书肆。1913年冬，王国维得此书稿本，寄给罗振玉，刊于《吉石庵丛书》中，始行于世。蟫隐庐复据以缩小重印，成巾箱本。

先是，光绪二十九年癸卯，清廷开经济特科，两江总督张之洞荐奏孙诒让，吏部尚书张百熙、湖北巡抚端方、江西督学吴大鉴亦各表荐，孙诒让终不赴。

王棻的《台学统》

严振非

晚清经史学家黄岩王棻一生著书七百三十四卷，台州近代首推第一。但是，除方志外，大都未曾刊行。王棻晚年隐居家乡柔桥村，终日端坐“知非求是”楼，从浩如瀚海的正史、方志、野史、笔记中广征博采，编纂《台学统》，去伪存真，详尽考据，并对重大事件作出公允的评论，费时十余年，成稿一百卷。《台学统》收集台州自晋代至清代一千六百多年的名人史料，共三百三十七人，按不同性质，分为气节、性理、经济、词章、训诂、躬行六种类型。每人按传记、遗书、诗文顺序编排，其体例取史志之长，别有创新。王棻在《台学统叙录》中说：“自晋以来，与於斯学之统者，区为六派，萃为一编，朝夕省览，用以自镜。”清光绪二十六年(1900)，王棻病逝。

这部台州史学巨著，因无资刊印，束之高阁十五年，民国四年(1915)王棻的外甥、清末榜眼喻长霖准备选印王棻文集，但经费不足。于是，喻长霖以榜眼身份求吴兴藏书家刘承幹刊行王棻文集。刘认为《台学统》的史料价值较高，决定刊行。民国七年(1918)，刘承幹花费巨款的《台学统》一百卷问世，作为《嘉业堂丛书》的一种。

影印的《越缦堂日记》并非全璧

陈觉民 遗稿

《越缦堂日记》是晚清著名学者李慈铭毕生精力所写成的日记，他在临死前十天还撰写不辍。其内容“博”、“大”、“精”、“深”，与王闿运的《湘绮楼日记》、翁同龢的《翁文恭日记》、曾国藩的《曾文正公日记》合称为“晚清四大日记”，其中以《越缦堂日记》较为突出，这是大家所公认的。

《越缦堂日记》的内容，几乎无所不包，有说经、证史、记事、读书记、杂记及诗文等。《日记》稿本共七十二册。后经越缦先生的弟子蔡元培与商务印书馆总经理张元济商议印行。首先印行的是《越缦堂日记》五十一册，其中包括：《孟学斋日记》七册、《受礼庐日记》三册、《祥琴室日记·息荼庵日记》一册、《桃花圣解庵日记》十册、《桃花圣解庵日记二集》十册、《荀学斋日记》二十册。后又印行了《越缦堂日记补》十三册，其中包括：《甲寅日记》、《越缦堂日记》乙集、丙集、丁集、戊集、己集、庚集、申集、壬集。

两次影印的仅其中的六十四册，还有八册为樊樊山(名增祥)向李氏后裔借去，久假不还。当民国九年(1920)首次影印《日记》时，曾由绍兴人王书衡先生(名式通)到北京樊樊山寓中催讨数次，樊樊山口头上答应归还，但始终未见交出。樊山是越缦先生的弟子,过去很受老师的奖许。有人说:樊樊山的诗笔趋向“香艳派”,越缦在《日记》中批评他“格调卑卑,才庸气弱”。也有人说:《日记》有越缦先生所作骈文、诗、词,部分已为樊樊山所窃取，且已用樊山之名刊出。因此,这八册《日记》樊山是决不会拿出来的了。不管两说孰为真实,但樊樊山“叛师”的行为是肯定的,以致这部学术上的大著作《越缦堂日记》,金瓯有缺,不见全璧,不能不说是近代学术界的一大憾事。

“天台山农”刘文玠

严振非

刘文玠(1879—1933),本名青,字照藜,又字介玉,号天台山农。浙江黄岩人。父为清末嘉兴守备,定居嘉兴。文玠九岁丧父,由母抚养成人,从徐尔藩读书。幼时学习书法,拙劣如涂鸦,有人讥诮说:“刘介玉书成,城隍菩萨须白了。”旧时城隍菩萨的须是黑的,“城隍须白” 意为不可能成功。刘听后发愤用功,家贫无纸,便用两块方砖当纸,清早即起,蘸水写字,一砖渍水,复易一砖,写尽清水数碗方休。春秋数载,从不间断。

初学苏东坡、赵松雪;后遍临南北朝碑,自《爨龙颜》、《瘗鹤铭》、《郑文公》、《张猛龙》、《张黑女》,以及龙门造像、云峰残石,都经手摩心领。因而作书雄放茂密,运笔如神,深入古人的堂奥。辛亥革命时,协助张丹庭组建台温子弟兵“选峰营”,参加攻打南京天保城之役,立有奇勋。后被小人嫉妒,指为乱党被捕入狱。从此灰心仕途,化名天台山农,寓有归田之意。

民国五年(1916),刘文玠居上海,为大世界门匾及内部各楼题字,于是名振上海滩,求字者渐多,就乘此鬻书。当时上海以清道人(李瑞清)魏碑驰名,刘亦书北魏。补白大王郑逸梅评曰:“实则其行书远胜北魏”,“行书珠圆玉润,极有功夫”。刘文玠每日只写市招三块,每块收一百二十元。所写招牌字,与先后在上海出名的汪洵、唐驼、谭泽闿、黄葆戉、马公愚、李梅庵、曾农髯等人齐名。当年讥笑“城隍须白”之人,见后大为惭愧,刘反而慰藉。

民国十年(1921),黄岩蜜桔在上海销路不畅。刘文玠不忘故土乡情,以早年在黄岩南门外所购的二亩“本地早”蜜桔,用“天台山农”之号命名“天台山蜜桔”。印制精美包装纸,包装海运上海。刘文玠早年与袁克文(袁世凯子,号寒云)、步林屋(袁世凯秘书,号林屋山人)为盟昆仲。就由寒云、林屋疏通报界,一再宣传“天台山农”刘介玉所植“天台山蜜桔”天下第一,几乎妇孺皆知。这样,终于打开销路。“天台山蜜桔”今日仍

有盛名。

刘文玠于1933年逝于上海。刘文玠庋藏书法名画十余箧，在抗战沦陷时被劫掠一空。

《校正增注康熙字典》

周采泉

《校正增注康熙字典》为桂末辛所撰。桂氏，上海文史馆馆员，已故。曾任浙江某县知事，归田后，以著作自娱，其精力所萃，则为《校正增注康熙字典》，凡数十万言。桂老与余为忘年交，尝委我向出版界推荐出版该书，以广其传。奈出版商则以其巨帙，生僻字多，均须刻字，又恐销路不佳，婉言谢绝。书商识短，以为字书已有《辞源》、《辞海》，《康熙字典》无重印必要也。桂氏不得已，于1951年自费排印《校正增注康熙字典序例》，附简字举例。赠余一册，桂老语余："康熙朝所纂之官书，以《字典》错讹较多，主要为引书方面或书名有误，或引文有误，以翰苑诸公纯凭记忆，未复核原文也。自王氏《字贯》一书引起文字狱后，学者虽知其误而不敢言。今《字贯》流传甚少，引绳批根，纠其缺失，亦王氏志也。"

朱鄮卿获万季野《明史稿》

周采泉

朱鼎煦，字鄮卿(或赞卿)，浙江省萧山人。曾任鄞县法院推事。谢事后，在甬上业律师，因经办几宗巨家遗产案得胜诉获酬颇丰，遂卜宅置产，占籍宁波矣。鄮卿好藏书，名其所居之室为“别宥斋”。民国初年，有旧家拟出让所藏清初万季野(斯同)《明史稿》，请教育部物色藏家冀得善价。时沙孟海供职教育部，函劝鄮卿购之。鄮卿既得海内不可多得的孤本《明史稿》，又得黄梨洲(宗羲)手稿一种，因更名其室为“万黄斋”。抗战时携书避地四明山遇盗被劫，二书幸无恙。今其全部藏书文物均归天一阁宝藏。鄮卿亦可以瞑目矣。

胡尔慥造像图

陈景超

德清县新市镇胡企曾，抗日战争时供职县政工队，文化大革命中首当其冲。红卫兵在其家中抄得祖传“真姿”像一幅，画中人峨冠博带，俨

然一官。青年以为神像,乃欲投火中焚。时有人曰:此大户人家祖宗画像,非关神、佛,宜上交县,以定处理。众允诺,乃送交县文化馆。时馆中事务废弛,机构形同虚设。此画乃抛于大橱顶端。越十年,整理"四旧"查抄之物,乃发现此画系明代著名工笔画家曾鲸手笔,画名《胡尔慥造像图》。按胡尔慥,号厚庵,浙江德清人,万历甲辰进士,初任福建福宁知州,后升工部郎。旋出守太平府,调江苏兴化,复由兴泉道历长藩臬。清康熙《德清县志》有传。乃如获至宝。1978年,持画送省鉴定,钤为真迹。翌年,省博物馆具借公展于杭城。旋又送京,展出于故宫博物院。后又作为国宝之一,赴澳大利亚公展,遂誉播全球。

藏家陈器成

周采泉

陈器成,名木,以字行,鄞人。上海文史馆馆员。少从奉化名孝廉竺子寿游,略知经史大义。稍长,进上海德商谦信洋行为学徒,谦信买办周宗良钟爱器成,以女妻之,委以重任。得泰山之力,不数年即腾踔沪市。其后自创光明药厂,一跃而为民族资本家,器成虽置身"十里洋场",而无声色之娱。好读书,工余,即手不释卷,见善本即购之，积书数千卷，编有书目，书存杭州，经乱失之。偶得一“鸡彝”，始读《三礼图》，于是对文物发生兴趣，搜求“旧铜烂铁”，整案皆是。因钟鼎而及甲骨，罗致王襄、上虞罗氏等藏品，大小数百件，其大片并经名家著录，真连城瑰宝也。甲骨而外，兼收古玩书画，画亦多精品，南浔庞虚斋(莱臣)家所散出之第三批藏品，有数件归其所有。闻政府正在访求这批书画下落，因主动捐献给上海博物馆，该馆列为“内记名”。“文革”事起，该馆“红卫兵”去抄家，故虽“取之尽锱铢”，文房四宝亦在被抄之列，幸损耗尚少。被抄计数大卡车，即纸张亦将半车。据云，此批纸中，有宋、元、明各朝纸张，亦世间所少有者。

器成所购得书画均不盖藏印，谓古人讥项子京藏画印痕累累，如美人黥面徒糟蹋名画。倘来之物过眼烟云，应与世人共之，岂吾所能据为己有耶?所购得之书画、古玩，不在书斋展出，亦不出以示人，积久，已亦忘其数量，迨抄家，自己亦惊其丰厚。余戏之曰：“足下真可谓名副其实之‘藏家’，善藏者藏于九地之下，君殆其人欤?”迨物发还邀余一观，比至其寓，书画数十箱正在造目，拍彩照，准备选印出版。出示明、清以来名家扇面数百叶，沈三白画梅扇面，尤所罕见。又出鼻烟壶四十品，皆令人爱不释手。其案上所用墨，尚为乾隆修“四库”时所特制者。器成喜书法，每晨起即学书，擅尺牍，与余书皆以墨笔章草书之，不谙内情者，不知出自一商人之手也。

1980年9月心脏病发，殁于杭州，享年八十二岁。器成为人富而不骄，名士如姜亮夫、严群等，均乐与交往云。

金石书法家吴公阜

周采泉

吴泽(1898—1935)，字公阜，鄞县人，吾学书师也。师家素封，有宅第在竹林巷，崇墉环之，门庭寂然。师跛一足，不良于行。笃志自奋，学文于冯君木，学治印于赵叔孺(时枫)。其治印以汉印为主，守"浙派"矩矱，有《各飞馆印存》行世。书法篆隶真草、北碑、南帖无不工，最后则折衷于倪云林(瓒)、宋仲温(克)。摹倪氏苏东坡《天际乌云帖跋》、《盈盈秋水眼波明》诗，可以乱真。尝云："无论抚碑临帖，必须从点、画学起，然后学结体，直至有三四字学得像样，再留心行款及全章。每一碑帖，均应能雒诵，不仅《兰亭集序》为然。"其所以须从点、画学起者，就是要把自己业已成型者脱胎换骨，到了"忘我"地步，才能接受新格局。不仅如此，即学李北海的两通《云麾将军碑》，李思训就不能与李秀同一面貌，盖两碑之风格亦有异同也。因之，他善作校碑工作，所藏碑帖之跋尾，考核精审，叔未(廷济)不是过也。又擅尺牍，属辞典雅，书又劲秀，得者宝之。尝赠

余北魏《郑文公碑》裱本一大册，自为题识曰：“此‘羲’字完好本”也。又谓《郑文公碑》系摩崖，刻于掖县临海悬崖峭壁上，其后山径路绝，无毡拓者，清嘉庆间始有拓本，“公讳羲”之“羲”字完好，最为难得。其后余又得一新拓整幅，则“羲”字已泐矣，其精博如此。余曾倩画工为写一《桐荫读书家》现藏浙江博物馆。

千叟宴赐砚题记

胡才甫

1928年秋天，建德洋尾(潰)乡高楼厦村后一座称为“伊将军墓”被挖掘开来，其中并无金银财宝，除了一些腐朽的殉葬物之外，发现一块端砚，砚面池旁刻有牛形，神态如生。砚背刻有隶书题记。其文曰：

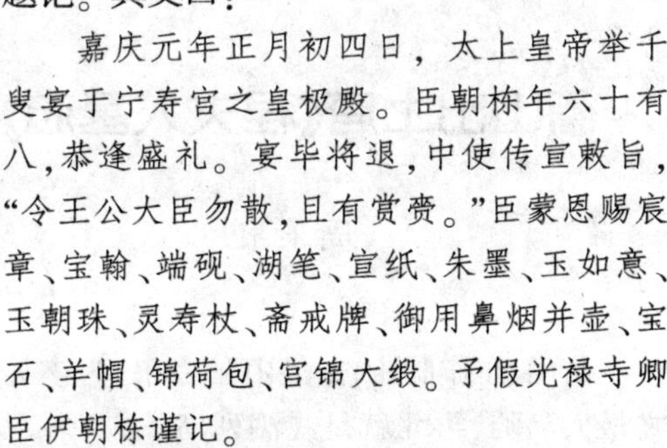
嘉庆元年正月初四日，太上皇帝举千叟宴于宁寿宫之皇极殿。臣朝栋年六十有八，恭逢盛礼。宴毕将退，中使传宣敕旨，“令王公大臣勿散，且有赏赍。”臣蒙恩赐宸章、宝翰、端砚、湖笔、宣纸、朱墨、玉如意、玉朝珠、灵寿杖、斋戒牌、御用鼻烟并壶、宝石、羊帽、锦荷包、宫锦大缎。予假光禄寺卿臣伊朝栋谨记。

这一端砚及题记具有珍贵史料价值。作者

存有题记拓本，端砚存高楼厦村蔡姓家。

南峰塔碑记非胡宗宪撰

胡才甫

在建德梅城对江，有一塔，称南峰塔，有碑记，《严州府志》及《建德旧志》均载撰文者为胡宗宪。此碑今尚存，字迹清楚，核之碑文，碑记乃鄢懋卿所撰。

据史载：明嘉靖年间(约为1560年)，严嵩亲信鄢懋卿任两淮两浙盐政，时塔已圮，正在重修，当地俞文峰等请鄢为塔作记。鄢认为不宜专信风鉴，故记中有："感于中，惕于虑，将日趋于勤，以期宏所用，机动而事起，人胜而天定……"碑文内容好，鄢懋卿阿附严嵩，然不可因人而废文。

衢山出土唐《程夫人墓志》

周采泉

衢山(亦作朐山)在岱山县之东，为该县所辖之最大岛屿，再北就是嵊泗列岛了。

衢山孤悬在东海中，原为渔汛时渔民集散

地，交通很不方便。明初防倭寇，信国公汤和为坚壁清野，尽移其民入内地。清初为防海，又厉行“禁海”，经过两次大移民，衢山几与内地隔绝矣。

民国初年，当地出土一方《程夫人墓志》，《墓志》刻在砖埴上，文字、书法虽不十分高妙，但有正确纪年，一时喧嚷遐迩。岱山汤遁庵明经，请人拓得多份，广征题咏。唐代文物在宁波一郡保存完整者已不多，今乃于海澨僻壤中得之，不可谓非奇迹，亦以证衢山岛上，早在唐代文化已很发达。

杨乃武与毕秀姑的墓碑

涂　煌

杨乃武平反后，在余杭家乡种桑养蚕，专心研究孵育蚕种，颇负盛名。其蚕种有“凤参牡丹，杨乃武记”牌记。1914 年 9 月杨乃武病死，葬在余杭县舟枕乡安山村白虎山对面山坡上。碑文：“显考同治癸酉孝廉书勋府君之墓，民国丙辰仲冬男杨卿伯同孙廷章、灵章同鞠躬敬立。”

毕秀姑平反后返余杭，不久遁入空门，在南门外石门塘准提庵出家为尼，改名静修。死于 1930 年，葬在余杭镇东门外文昌阁东约一百五十米，地名“小青庙”处，1985 年迁至安乐山。原碑石上有诗二首：

其 一

自幼持斋愿守贞,此身本不恋红尘。
冤缘强合皆前定,奇祸横加口莫伸。
纵幸拨云重见日,计经万苦与千辛。
略将往迹心头溯,静坐蒲团对碧筠。

其 二

顶礼空皇了此生,哓哓悔作不平鸣。
奇冤几许终昭雪,积恨全消免覆盆。
泾渭从来原有别,是非谁谓竟无凭。
老尼自此真离脱,白水汤汤永结盟。

康有为“手迹”何其多

黄萍荪

1917年，“张勋复辟”失败后，康有为曾隐居西湖有十年之久，筑“人天庐”，纳榜人女张阿翠为第七宠姬。他死后，七姬仍寓居杭州。

20世纪30年代初，西湖各风景点的小摊上，出现了大批康有为手书的楹联、单条、中堂、横披……。楹联，喊价五十元。有人扬言谓，康与阿翠别前，摒绝一切，关门为之挥二千件，俾其生活。曰：“老夫无金为卿养老，此二千件即变相之足赤，够你受用一辈子了！”然昔岁春、秋二季，为湖上黄金季节，二千件之数，何以能历久不衰，日久生疑，认为必有专制康书的大“厂商”在暗中源源供应，盖30年代中叶，楹联贬至五元一副。原来作书者乃康有为门生徐勤之侄，他是个落第举子，“人天庐”中常客，为康之小门生，经常侍太先生书案，执研墨、扶纸、钤印之役。因为他的根基也是打的《石门铭》、《径石峪》、《郑文公》、《爨龙颜》之类的碑中精品，如此仿康书如阪走丸，得终南捷径之逸，抚康迹几可乱真。湖上所售“康迹”，大都出自彼手；不过印鉴是真的。原来徐先生早就和太师母取得默契，字出徐手，印由翠钤，分工合作，拆账另议。此为30年代初至中叶，康书充斥西湖各小摊上的内幕。

康有为游雁荡

李光云

民国初年，康有为至雁荡山游览，居乐清大荆蒋叔南家，伴客有曾任遂安知事黄式苏和乐清名人赵丹丘等人。康对雁荡风景赞叹不已。一天游白龙湫，雪练似龙，直下碧潭，颇为壮观。众人公推康题字，康谦让，转请众人先拟。赵丹丘首先开口：“天下第一瀑，何如？”康摇头说：“太夸，不佳。”继而康云：“白龙飞出，可否？”众人拍手称好，而赵独云不佳，康面露愠色，待书就后，署同游人名时，康将赵的名字略去不题，赵拂袖而去。蒋叔南恳请康补上赵名，康大怒，将所书题字撕毁，宾主皆不欢而归。康旋离去，赵作寓意刻薄的七律追送给康，其诗曰：

雁山怅逐白云游，世事悠悠感百忧。
漫说邱山同华屋，剧知天地等浮沤。
奇峰孤拔真高士，瀑布飞扬终下流。
斗酒正谋分雅俗，春风江上促归舟。

康在海门(今椒江市)乘船前见到此诗，深感内疚和懊恼，遂挥笔写下一条幅："天下几名士，瓯东一狂生。"

九世班禅访问普陀

杨　炳

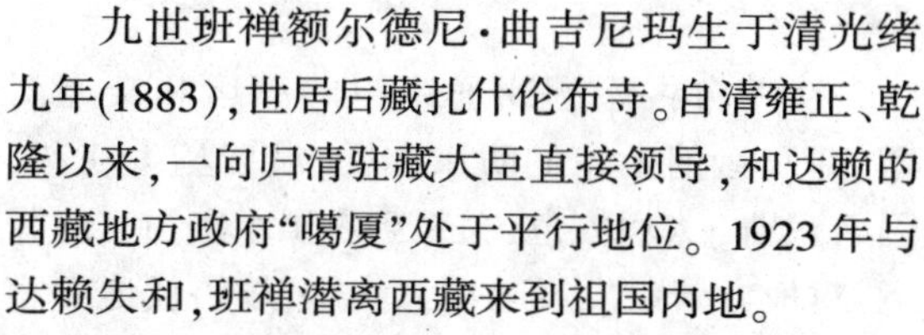

九世班禅额尔德尼·曲吉尼玛生于清光绪九年(1883)，世居后藏扎什伦布寺。自清雍正、乾隆以来，一向归清驻藏大臣直接领导，和达赖的西藏地方政府"噶厦"处于平行地位。1923年与达赖失和，班禅潜离西藏来到祖国内地。

班禅活佛在内地时，曾于1925年4月18日经上海、杭州到普陀山，这是西藏佛教领袖首次访问海天佛国。陪同九世班禅访问普陀山的有章嘉活佛、土观活佛、大堪布罗桑坚赞等六十余人，并有北洋政府蒙藏院总裁和浙江省负责官员护送。班禅到普陀山之日，礼仪隆重，从短姑道头上岸，黄布沿荷花石块一直铺到普济禅寺。班禅进普济寺后，即登圆通宝殿礼拜观音大士，然后在法堂接待各地佛教界代表，互献哈达。第二天在法堂用藏语说法，并游览了普陀山名胜古迹。班禅每到一处，必礼拜观音，敬献哈达于佛身。据云，当时陕、甘、闽、穗等地佛教界人士，纷纷赶到普陀朝佛，盛况空前。三年后(1928)，九世班禅又派代表访问普陀，并在短姑道头回澜亭内立碑，石碑用藏汉两种文字镌刻而成，文云："海中山岛真古奇，巅上多有慈航法。鄙等生灵有何孽，恳祈观音消其罪。"

荻塘重修记

林黎元

荻塘自古系湖州通南浔的漕运和交通要道，亦是运河上塘的防汛大堤，沿塘丛生荻花，因名荻塘。大堤安危，关系到农田水利与官府驿运，对地方繁荣发展起重大作用，故历代地方官府都重视修筑。

民国以后，浙江省设水利议事会，对商轮征收水利附加捐。湖绅李岂以城镇市场繁荣，全赖农村富裕，修塘与官绅利益有关，倡议重修荻塘。几经奔走，乃于民国十一年集湖浔士绅代表会商于湖州，成立修塘董事会。塘长七十二里，决定全部石砌,估计工料约需六十万元。申请以半数由水利议事会补助,余由湖、浔分摊各半筹措。

筹备工作开展顺利,募集经费即得三十万二千余元。另呈准省方令饬浙江水利议事会拨助经费半数计三十万元。水利议事会索取预算复核,将六十万元核减为四十九万元,仍只准补助半数,且分十二年摊付。于是董事会决定自筹塘工公债十一万元,以六年后水利议事会补助金为担保。勘定塘宽为一丈二尺,工程以旧馆为中点,一自旧馆迤东至南浔西市梢,由南浔负责;一自旧馆迤西至湖州二里店,由湖州负责,两方同时进行。

修塘工程于1923年9月开始,历时四年半,于1928年3月10日完成,共支费用八十三万余元,而集资得八十万元,尚缺三万余元,悉由庞元济个人主动承担。荻塘经过重修,面貌一新,蔚为壮观。这次荻塘重修,工程浩大,质量优良,至今尚完整,实为湖州南浔近代史上一大水利建设。为发扬社会公益,修塘留芳后世,在旧馆建荻塘纪念亭,内立许文璿撰的《重建吴兴城东頔塘记》碑。

鄞县球山石

周采泉

球山在鄞县大嵩所城东三五里，在平畴中突起之一小丘耳，唐宋以前，尚为波涛汹涌中一拳礁石，航海者视为畏途矣。相传其地产玉，采玉者当以鹅祀神乃可得玉。传明戚继光驻军于此，欲得美玉，宰羊以祀，自此玉绝迹，乡人因名之为“羊求休”。山产花乳石，印材也，《篆刻针度》中所称之“大松石”即此。山广袤不到一平方里，高十余丈，裸露无树木，远望之如复甑。余少时经此山，已被采石者削去一半。前几年大嵩江造闸，更大量采伐，即不夷为平地，恐亦所余无几矣。吾友卢石臣治印，尝入山采得“老坑”石数片，自锯、自磨，治印数百方，选其佳者约二十方，装成一锦盒，题名为“大松石样品”，经我手赠给西泠印社，球山石之色泽备于此矣。

球山石与青田石相类。球山石白、红、黑各色均有，而以如“良渚玉”之深绿色者为多，坚而不僵，柔而不腐，适于奏刀。石臣以刀为笔，以石为纸，所刻之数十种《印谱》皆以此石为之，石臣之以球山石治印可谓得心应手矣。石臣语余：大嵩江建闸时，在沉泥中得一“网坠”如羊脂白玉，此殆明代居民之所谓玉耶？

杭州劳动路的由来

洪昌文

1936年以前，杭州在涌金门与清波门之间有一条叫“运司河下”的河道，两旁居民日常把垃圾污水都倒往河里，天长日久，河不成河，而变成污秽不堪、臭气熏天的臭水沟，居民行人怨声载道，市政建设部门却不理不问。黄绍竑第一次来杭任浙江省主席时（1934年12月至1936年11月），接受工商界人士和当地居民的意见，发动省政府各厅处属员义务劳动，亲自带领各厅处人员到现场，自己率先脱下上装卷起裤脚，跳下臭水沟，大家只好跟着下去。黄绍竑带头干了几天，很快就把这条污臭的“运司河下”填平了，筑成道路。后来再由杭州市政府工务局筑成一条简易的马路。事后有人向他建议将这条路取名为“黄公路”或“季宽路”(季宽是黄的别名)，他考虑一下说：“叫劳働路吧，这条路是由公务人员动手填平的啊!”这条马路现在仍叫劳动路，不过已把“働”字改为“动”字了。

民俗风情

畲族的婚礼

萧　萌稿　洪昌文 整理

在山峦起伏、千峰竞秀的瓯江两岸，居住着勤劳、俭朴的少数民族——畲族。这是一个非常喜欢唱山歌的民族，据说用自己的民族语言编唱的山歌本有三千八百本，山歌几万首。青年男女结婚时，要举行通宵达旦的长夜对歌，异常精彩。

青年男女举行婚礼的这一天，先由男方向女方送彩礼。一声鞭炮声响后，两个年轻姑娘身穿民族服装，手提彩灯，走在前头，后面紧跟着肩挑礼担的壮年男子和新郎。到了新娘家时，新娘家有意把大门关得严严实实，挑彩礼的男子即在门前放起鞭炮，霎时间大门内也放起鞭炮，门内的几个小伙子一边和门外的人对着放鞭炮，一边还挺神秘地从门缝里往外瞧，如此取乐约二十分钟，送彩礼的从门缝里塞进了两个小红包，大门才打开。里面的人一齐出来迎接新郎，接彩担。接着就是“脱草鞋”的仪式，叫送彩礼的人脱下草鞋，洗洗脚，吃点心。

送彩礼这一天，男方还要来两位“赤郎”。年纪大一些的叫“当门赤郎”，是来当厨师做菜的；年纪小的叫“赤郎子”，是给“当门赤郎”烧火的。“当门赤郎”到女方的头一件事，就是上灶台刷锅煮肉。在刷锅时，有一群年轻的姑娘和小伙子对着他取乐，他们个个袋里装着砻糠。“当门赤郎”把肉放进锅里时，要是动作慢了，姑娘、小伙子就向锅里撒砻糠，围观的乡亲们跟着喝彩，人人笑得前仰后合。而一旦肉放进了锅里，便转向同“赤郎子”开玩笑。他们故意在大灶肚里洒上水，塞进湿柴，“赤郎子”要是点不起火，大家又是一阵笑闹。“赤郎子”事先都准备有煤油、蜡烛之类的易燃品，把火烧着了就没事。接着，“当门赤郎”就唱起山歌借东西，因主人事先把厨房里所有用具都收藏起来了，要“当门赤郎”一件一件地唱出来，唱对一件给一件，唱错了就不给，还要引起哄堂大笑，显得十分欢乐。

晚上，接新娘的红轿抬到，照样又是关大门放鞭炮，噼噼啪啪，热闹一阵。酒席间，新娘要向

客人劝酒，在响起清脆悦耳的山歌声后，身穿民族服装的新娘，双手捧着一个竹制的米筛，米筛里放着一副银镯，点着两支红蜡烛，来到各桌前行个礼，就把米筛往桌上放，几乎盖住所有的菜。这时，陪伴的女歌手就唱起了《劝酒歌》：

双喜临门两家庭，
男娶女嫁结成亲。
新娘劝酒大人礼，
六亲食酒笑盈盈。

客人们都掏出事先准备的小红包往米筛里放。一会儿，新娘的妹妹又用同样的方式来劝一次酒，主人更热情地一次又一次捧着斗大的锡壶给客人加酒。

酒席后，开始长夜对歌，由男方接亲的“行郎”(抬轿人，即男歌手)和女方请来的女歌手对歌，唱的都是些吉祥和有意义的歌，从《度亲歌》到《嫁女歌》，从《红轿歌》到《催亲歌》，唱啊唱啊，一直唱到天亮，这时，一声鞭炮响，接亲的人开始催亲了。男歌手就唱起了《催亲歌》：“五更雄鸡啼得响，劝你主家扮新娘……”新娘起身之前，还有“告别爹娘”、“溜筷子”、“衔千斤饭”、“姐妹点灯相送”等仪式，一直热闹到天明轿子出门，姐妹们还要拖住轿杠，以表示挽留。

畲族婚礼的精彩节目几乎都在女方家举行。到了男方家就比较简单，红轿一抬到男方中堂，就由一位老人念念有词，祝福新郎新娘百年好合，美满幸福；然后，新郎用秤杆挑开轿门帘，新娘由两名接姑扶着，踩着铺在地上的布袋走进新房。男家客人们早上吃过喜酒就散了，婚礼亦告结束。

建德的大小佃田

程秉荣

解放前，建德的农田土地权，一丘田有二个主，一个叫“小佃”主，一个叫“大佃”主。大小佃都为一家的，称为“归户田”。小佃主只有耕种权，在政府的田册上没有名字，不完粮纳税。小佃主种的稻谷，要分一半给大佃主，由大佃主完粮纳税。那时，小佃主在割稻前数天，就要告诉大佃主，到时，大佃主来田头，看收割，过数，对半照分，并由小佃主把租谷送到家。分租期间，酒饭由小佃主供给。1927年“二五”减租后，把各半改为“四六”，即小佃主得六成，大佃主得四成。

这种情况是清同治三年(1864)后才有的。因太平军在建德一带与清军拉锯战数年，致使人口锐减。据程仲颐老先生对我说，太平天国革命后，严州城里仅存一百五十三人，全建德县只四千余人，田地大量荒芜，无人耕种。同治四年，戴槃来严州任知府，为增加政府收入，即通告“定严属垦荒章程并招棚民开垦”的文件，该文称：

“浙省自兵燹后，田亩久荒。各市镇悉成焦土，远近乡村亦复人烟寥落。连阡累陌，一片荆榛。办理善后事宜，垦荒其第一要务也。……一，宜令随耕随报。本地荒田，无论本籍寄籍须先报名认垦，不准隐匿迟延。……其有情愿来人佃种者，悉听其便。……三，宜令原业主早为呈报。荒田有人垦种，如实系自外间回来者，方准照数收回。到籍三月内即须禀报，倘系在籍之户不即行报明，延至日久，俟田已垦熟再行呈报，显系有意取巧，询明地邻，即将所种田亩罚半归垦户执业。……”当地老百姓称这个政策为“开荒得小佃”。

从此，建德的田亩就有了二个业主。解放后，土地改革中，没收了地主的大佃，实行了一田一主。延续了近一百年的特殊土地权，就告结束了。

金华的元宵添丁酒

叶炳炎

抗战以前，在金华县城内人们有饮元宵添丁酒风俗。谁家生了孩子，第二年年初，地保就会通知他，要他准备“添丁酒”，好在正月十二夜宴请本保辖区内的居民。以示人丁兴旺，邻里同欢共庆。此风俗起源于何时尚待考。据祖母云，

20世纪她结婚生孩子时已流行。

正月十二日白天，那些在头年生了小宝宝的家庭，就忙碌起来，一般都买几十斤肉切碎，加上生粉做成重一二两包子般大小的肉圆子，蒸好备用。另外再做几样菜，分盛几大碗，陈放在大门口几张长桌上，再备好碗盏筷子和黄酒。到晚间，地保和助手就领着居民到添丁户来喝酒吃菜。喝酒的多是劳动者，也有个别年青的单身汉，他们连喝几家饱醉而去。此时地保最忙，在别人饮酒时，他手拿名单，逐一念各户主姓名，添丁户就将肉圆分发给各户来人，每户按人头计，每人二只。不来领的作自动放弃。酒菜、肉圆只有数量的规定，而无质的限制。酒有醇薄，菜有优劣，肉圆子有大小，由添丁户根据财力自行酌定。富户自然体面些，贫户只得借债举办，习俗难违，吝啬户每遭清议。听我母亲说，有一年，群众将领得来的既小又硬(粉多肉少)的肉圆子在翌晨都丢到添丁户的屋瓦上去，以示不屑一顾，这就失去邻里共庆之意了。

嵊泗的木龙旧习俗

金　涛

“百里不同风，千里不同俗”。这里说的是解放前嵊泗列岛渔家的船上旧风俗。

嵊泗地处东海西北隅，烟波浩瀚，海上仙山，生活的一切都离不开船。往昔，船由木造，海由龙治，故渔民爱称渔船为“木龙”。船主造船，开工要拣黄道吉日。开工这天，要用三牲福礼祭祀，置办酒席，请造船师傅坐上座，送“纸包钿”。渔船不论是大对小对，都有船眼睛、船灵魂。船有眼睛、灵魂，就能战胜险风恶浪。

做渔船眼睛是件大事。在新渔船的船壳打造好后，大木师傅用上好木料精制一对船眼睛，钉在船头的两侧，这道工序叫作“定彩”。定彩仪式很隆重，先要请阴阳先生择定一个良辰吉日，并按金、木、水、火、土五行，用五色丝线扎在作船眼珠的银钉上，由船主将它嵌钉好，然后用崭新的红布条或红纸把它蒙住，这叫“封眼”。当渔船下水前，在阵阵鞭炮锣鼓声中，船主亲自把红布或红纸揭掉，这叫“启眼”。船启眼后，银珠巨目闪闪有光，显得神气活现，徐徐下海。说到船眼睛，这里还有个动人的传说。从前有个名叫周一郎的渔民，有个女儿叫海囡，父女相依为命。有一天，周一郎捕到一条通灵性的鱼，眼里流出泪水。周一郎将鱼泪涂在海囡的眼睛里，放了鱼。岂知海囡眼睛变成慧眼，能看清海里的鱼群、礁石等一切东西。渔民就此大发了。渔霸得知把海囡抓去，海囡挖出神眼给父亲带回，安在船头。从此渔船长眼，行驶安全，捕捞丰收。并逐渐形成“定彩”、“封眼”、“启眼”等风俗。

渔船的“船灵魂”安装在水舱里，俗称“水活

灵”。在新船的骨架搭成后，用一块小木头，挖个小孔，孔里放进铜板、铜钱、银元等，作为船的灵魂。据说铜和银都能镇邪驱灾。船灵魂所以放在水舱里，乃船为木龙，龙行于水，就是个活的生命了。

渔船后舱还有专供菩萨的“圣堂舱”，企求菩萨保佑平安。圣堂舱内置有神龛，神龛内有神像。嵊泗的船菩萨大多是男的，也有女的。船菩萨两侧有二个小木头人，一为顺风耳，一为千里眼。船菩萨是谁，说法不一。一说男的是关云长，又称“船关老爷”；一说是鲁班，第一条船是鲁班所造；又一说是捕鱼神手杨甫老大。关于女菩萨，一说是宋朝的寇承女，又说是圣姑娘娘。这些传说的船菩萨与嵊泗各小岛庙宫供奉之神相同，因为渔民崇敬两种菩萨，一是讲信义、崇豪侠；一是聪明机智，捕鱼能手，这符合渔民的性格和愿望。

此外，船上忌讳习俗甚多，诸如七男一女不准出海，犯了“八仙过海”忌讳，海龙王要来抢亲翻船；妇女不准下船，在船上不许双脚荡出舷外，不许讲不吉利的话，不许拍手，不许吹口哨，碗不能覆盖，筷子不能搁在碗上，吃鱼不能翻面等等。解放后，随着机电船的发展，条件的改善，许多迷信旧俗已经革除。

“生 意 经”

程秉荣

解放前，建德县在商业上有许多习俗，这些习俗都与经营管理有关，现录数则可见一斑：

一、讲生意：商店在新年开门营业的前一天，即农历正月初五日，商店老板要举行“接财神”活动，晚上则摆酒“讲生意”。所谓“讲生意”，就是决定职工的去留。所以酒席虽然丰盛，职工却是无心品尝，酒席完毕，凡被老板叫去谈话的都继续留用，不谈话的即拿出“××先生另请高就”的红帖，接到“红帖”的职工只得卷铺盖。所以职工只怕“讲生意”时收到红帖。这餐酒，留的职工叫“高兴酒”，走的职工则称之为“杀头酒”。

二、拜先生：学徒进店，要“拜先生”。学徒拜过先生，就能得到先生的教诲和培养；学徒也感到有靠山，一心一意为老板工作，逐步得到信任。先生年老了，得意门生往往就是接班人。拜先生仪式简单，先到财神堂点上香烛拜财神，后拜先生，再拜师伯叔，吃一餐拜师酒，就算完成。

三、柜串：柜串，又叫“七厘头”，即职工做一元钱生意，可以拿到七厘钱的奖励。全店职工每天做的营业额，由柜上收钱的账房分人记账，一月一结，当场兑现，每个职工营业多少和自己的切身利益联系起来，充分调动了每个职工的积极性。于是每个职工尽量改善服务态度，争取更多的顾客到自己手上来买东西。凡顾客进店，就不让出去，一定要做成生意，有时一个职工同时要接待三四个顾客的生意而不紊乱，这没有过硬工夫是做不到的。

四、吃苋菜：建德有立夏日各商店职工要吃苋菜的风俗，认为这天吃过苋菜，过六月就不会犯"痧气"。如果受气候影响或水灾，市场上买不到苋菜，老板会自动拿出一碗铜板来当作苋菜，这些铜板由职工均分，以取信于职工。

五、吃六肉：每月逢六(农历初六、十六、廿六)，店里要"请财神"，中午职工则有猪肉吃，称为"吃六肉"，一方面为改善职工生活，一方面把请财神与吃六肉联系起来，使职工有"神佑感"。

六、起金折：顾客一时没有现钱买东西，可找保人向商店要一个盖有印章的账折，称为"金折"，凭折可到店里赊货。一年三期还款，即端午(茶叶、春花上市)、中秋(稻谷登场)、过年(桐柏子、豆类收获)清结，如起折人遇到天灾人祸，到期还不出钱，则由保人赔偿。有的人领一个"金折"，几户共用，起折人又变为二老板，这样，有利于商品销售。

七、发升工：凡职工一年到头不请假，不休息，不回家探亲，到农历十一、十二月，商品旺销期间，可发给双工资，即一年发十四个月工资，称为"升工"。这样，职工为了增加收入，多不愿

休息。

八、公记：所谓“公记”，即包装物回收的钱，记在一本公共的簿子上，一年处理一次，由全店职工分享。这样，既不浪费物资，又提高职工积极性，一举两得。

九、圈儿：即商店里的滞销商品上面画一个圆圈做记号而得名，这些商品谁推销出去，谁能得到千分之八的奖励，所以职工都积极推销这些有圈儿的商品，职工收入增加，商店资金周转也加快了。

十、送风：顾客全年都在一家商店交易，到年终最后一次来买东西时，商店要向顾客送些小礼品，称为“送风”。如棉布店送零头布、斜条、鞋面布等，南货店则送糕点、蜡烛，茶叶店则送茶叶，另外还要送一张印有商店名称、经营项目、日历等内容的年画，顾客拿到这张画，都贴在家中显眼的位置。商店扩大了宣传，也拉牢了新一年里的生意。

木行业的二十字“切口”

陈瑞芝

旧时各种行业，都有所谓“切口”和“行话”，木行业的切口，称谓“南关字语”，共计二十字：

傍、风、飞、调、边、古、隔、先、张，这九个字即代表一至九数字,十数称老傍。

要、赖、生、疏、匹、闹、涯、打、欠,这九个字代表十一至十九数字,二十称老风。

重风、重飞,代表二十二、二十三,其余类推。风满、飞满代表二十五、三十五,其余类推,但二十五又称团度。

此等切口,外行人不易听懂,但塘官(即木行的业务员)和各路水客(即各地采购人员)均熟习此语,在商谈交易时,均以此语代表数字,而一般山客(山区的木材商)均不懂此语。

奉帮裁缝

舜祈　亚东

浙江的"奉帮裁缝"名闻遐迩,由来已久。

19 世纪末,清朝政治腐败,经济凋敝,民不聊生。许多奉化人为寻找活路,离乡背井,外出谋生,流向沿海城市上海、青岛、天津、大连、海参崴、香港以及朝鲜、日本、东南亚等地。这些人中大多从事三种职业,所谓奉化三把刀:剪刀、菜刀、剃头刀,其中又多裁缝。他们在他乡异地,赤手空拳,只好从事一些裁缝这类靠手工劳动,工具简单,成本低廉的活计。经艰辛劳动,逐渐站稳脚跟,有了基础,需添人手,就将亲戚朋友同乡带出去, 久而久之, 形成了所谓的奉帮裁缝。

中日甲午战争之后，帝国主义对中国的侵略,从商品输出到资本输出,在我国开设了很多“洋行”。洋行职员和富家子弟,先后穿着西方流行的西装,一些沿海城市出现了一股“西装热”。奉帮裁缝和其他同行纷纷赶潮流，从做中装转向做西装。这些转做西装快的奉帮裁缝，既赚钱,又出名,成为同行业中的一帮红人,因而被称为“红帮裁缝”。当时穿西装最多的是“十里洋场”的上海,“奉帮”则名噪一时。奉化江口镇王溆浦村王财荣最早在上海繁华地南京路、西藏路口开设了荣昌祥呢绒服装号,生意兴隆;接着又带来一批同乡,在荣昌祥学成后,自立门户,经营服装生意。仅王溆浦一个村在南京路(旧称大马路)一带开设的呢绒服装店,其中有名气的就有 “王兴昌”、“洽昌祥”、“裕昌祥”、“荣康”、“王荣康”、“慎昌”、“伟勃”、“汇丰”、“王顺泰”、“敏泰”、“开林”、“大方”等十余家,其他乡村奉帮裁缝在上海开设的著名服装店还有很多。当时上海服装的许多名牌产品都出自奉帮裁缝之手。如上海四个名牌衬衫产品 “鄔复昶”、“兄弟”、“舒美大”、“华罗葛米”(译音)其中前两只为奉帮服装店精制,“同义泰” 海军军服名列全国第一,“孔雀”童装名扬上海。由于奉帮裁缝在上海南京路的实力和地位,在 20 世纪 20 年代,荣昌祥老板王财荣曾一度担任南京路商会会长。

太湖银鱼

孙建国

太湖银鱼，古称鲙残鱼，修长略圆，晶莹透亮，宛如玉簪。凡来太湖之滨湖州观光的，都要亲口品尝具有特殊风味的水鲜。

太湖银鱼，大者长6厘米许，小者仅3厘米。产卵方式很奇特：受精的雌性银鱼到来年一月上旬游至浅水区，将身子在乱石或冰块上反复磨蹭，使肚皮越磨越薄，直至磨破，排出卵子，犹如人类之“剖腹产”。三十多天后，卵子长成幼鱼。五六月间，已长得滚圆肥嫩，这段时间是品尝鲜银鱼的佳时。

鲜银鱼无刺、无鳞、无腥，肉质细嫩，其味以鲜而不腻为特色，可炒、烧、熘，也可凉拌，做汤，烹制成各种美味佳肴。如猪油、葱段清炒银鱼，青是青、白是白，赏心悦目，鲜味纯正，口齿留香；银鱼炒鸡蛋，黄白相间，柔若无骨，为湖州民间一款风味水鲜，《渔歌》有唱：“银鱼丝白嫩嫩，炒蛋白玉嵌黄金”；用银鱼做鱼丸子，细嫩至绝，入口即化；若除去头尾，做成银鱼糊，蟹肉也为之逊色；用虾仁和肥膘肉斩成肉泥，掺入银鱼，制成酿银鱼，形同燕窝，油而不腻，别有一番滋味。此外，名厨师勺下的“香酥银鱼”、“芙蓉银

鱼”、“金丝银丝汤”等银鱼系列佳肴，就是看一眼，也令人垂涎。

杭州西园与湖山喜雨台两茶馆

黄萍荪

西园是旗营辟为市场后出现的产物，在现湖滨一公园附近，三开间三层，另有露天平台，为夏日纳凉胜地。楼下设弹子房，这在当时是新鲜的娱乐，西园为其嚆矢。在上楼的转角处悬巨镜一，可鉴全身。镜旁有联曰：

为公忙，为私忙，忙里偷闲，吃碗茶去；

求名苦，求利苦，苦中作乐，拿壶酒来。

二楼的阳台宽敞，可容两排客位，一律藤椅靠壁，远眺近览，无不相宜。远则两峰如髻，双堤似带，烟树蒙胧，水光潋艳，尽收睫下；近则湖滨公园中衣香鬓影，一览无遗，赏心悦目。适性怡情，莫过于此。

西园除品茗外，另有名厨精制之佳点，其中以五香茶干、细沙油包、鲜荷叶粉蒸肉均较市上所售高一档次，而消费不多。中午，三楼小酌，醋鱼、虾仁特佳。

西园的特点是听不到一般茶楼的音声杂沓，喧闹聒耳。可能是物以类聚，人以群分之故，西园无形中成为当时的文艺沙龙，缘是剧作家田汉在阳台的藤椅上写了《名优之死》,秋瑾的异母弟宗章写了《六六私乘》,叶恭绰在此编次了《情词苑》,他如"画到梅花不让人"的梅王阁主高野侯亦经常在此泼墨,上海电影界来杭拍外景的明星,少不得也要来此小憩,品尝五香茶干之余,面对"山色空濛雨亦奇"的西湖,忘却一天尘劳,情不自禁地以轻歌曼舞的风姿,留下鸿爪。

西园在敌伪期间易名望湖楼。在万家墨面的年月,生涯一落千丈。

喜雨台的全称"湖山喜雨台",开在今延安中路上的仁和路口,七开间门面双层。上得喜雨台,气氛和西园大相径庭。这里是三教九流:"瓦摇头"(杭人指房地产掮客)、骨董商、失意政客、落职军官、弈友、腹贾、闻人(青红帮中小头目)、星相、博徒,……乌烟瘴气,非习于此者殊难驻足。

喜雨台本身不卖点心,然其楼下有个专售蟹壳黄和生煎包子的名摊,所述两样,就杭州来说,能与之颉颃者,绝无仅有。上午九时前是抢手货,摊前东西二长龙,不下百人,但喜雨台的茶客,有优先权,是以不耐排队均登楼就座,享此权利。

凭喜雨台之轩,虽无湖光山色可览,但欲领略杭州市面,此楼实为最通风的窗口。失之于西园者,喜雨台当可为君补足。这两个截然不同的场合,代表了昔日各阶层人士的意识形态,上这一园一台,当可得其三昧矣。

禁止贪污木楔

张宗祥 遗稿

朕念赤子，旰食宵衣，讬之令长，抚养安绥，政在三异，道在七丝，驱车为理，留犊为规，宽猛得所，风俗可移，无令侵削，毋使疮痍，下民易虐，上天难欺，赋与是切，君国是资，朕之爵赏，固不裔时，尔俸尔禄，民膏民脂，为人父母，罔不仁慈，特为尔戒，体朕深思。

此后蜀孟昶广政四年五月所著官箴，颁于郡国者。宋太宗节为“尔俸尔禄，民膏民脂，下民易虐，上天难欺”四句，命刻木楔，树诸州县衙署之前，历元明清，有撤有存。予幼时尚见海宁州署署前有此木楔，今尽亡矣！宜乎贪污者载道皆是也！

军机处遗闻

张宗祥 遗稿

清制仍明之旧，无宰相，设内阁大学士六至八人，满汉并用，职为阅摺票拟，等于皇帝秘书。雍正时，设军机处，各事均由军机处主办，内阁遂同虚设。大学士一官，亦仅为兼衔。军机处大臣下，设章京若干人，俗名小军机；一人领之，名曰领班章京，以三四品京卿充之。各章京由考选得之，大约皆取楷法工秀，写作敏捷，自七品小京官至翰林院庶吉士，皆可应试，其职在处理文件等等，盖又军机处中收发、出纳、誊写诸务无所不包者也。军机大臣，以入军机处早晚为资格，每日传见(俗名叫起)，排班入见，将至门，则最晚入军机者，即前趋为揭帘，诸人尽入，然后入，退时亦然，故俗名之曰揭帘子军机。如不叫起，单传领班章京，则政局必有变动，或且全军机处大臣均易职矣。小军机因其消息灵通，邀请宴会者至多，每夕各大饭馆中主人设席，诸客皆到，必虚左以待，至则先道歉，继或饮酒一杯，或食菜一二种，即起告辞，甚或一至匆匆数语，不

入席即行者,故俗名之曰响不见。凡军机处票拟之摺,每日打包入内,有发回重拟者,有留中者,有如拟办理者。清内廷不设司礼监,无秉笔太监,故较明为善也。凡照例奏摺,如知道了钦此,该部知道钦此之类,但于摺面掐一指甲痕为识,摺后不着一字。

蒋宋联姻的两次婚礼

汪振国 整理

蒋介石、宋美龄于民国十六年(1927)十二月一日结婚，上午按中国传统仪式的婚礼在上海戈登路大华饭店举行；下午按宗教仪式的婚礼在西摩路宋宅举行。

大华饭店礼堂,上悬孙总理遗像,堂前安放特大的鲜花缀成的大喜字,两壁满扎鲜花。堂左为新郎亲属席,右为新娘亲属席。来宾中有蔡元培、谭延闿、汪精卫、何香凝、褚民谊、李德全、朱培德、吴稚晖、叶楚伧等人。主婚人乾宅为蒋锡侯,坤宅为宋子文,证婚人为蔡元培、谭延闿、李德全、何香凝、王正廷、余日章等六人。男傧相为刘纪文;女傧相有四人:永安公司经理郭标之女郭宝珠、孔祥熙两个女公子,又一为倪女士。婚礼如仪,奏乐,新郎新娘向来宾鞠躬……

结婚证书骈四俪六，其词曰:“盖闻二南启

化，关雎有佐治之功。五世其昌，懿凤协来嫔之谶。欢联两姓，好缔百年。兹者乐安蒋公介石先生，与京兆宋美龄女士，举行结婚典礼于春江大华礼堂。瑟好琴眈，双心默契；良辰吉日，六礼告成。一则威震寰中，德孚袍泽，一则名闻海外，才盛唐虞。儿女英雄，神仙眷属。当兹一阳来复，正旋乾而转坤；须知万古常经，乃齐家以治国。柳营桴木兰之鼓，应助北伐成功；竹简传大家之书，用迎东来喜气。合作家庭模范，倍增我党光荣。证彼同盟，制斯左券。"赞礼司仪者为邵力子，宣读结婚证书者为蔡元培，用印者男方为蔡元培，女方为余日章。这按中国传统的结婚典礼，在礼乐声中结束，新郎新娘步出礼堂时，散花女郎十余人落花似雨。

下午又在西摩路宋宅按宗教仪式举行教会婚礼。一次结婚，两次婚礼，蒋宋是首开其端。先由新郎读誓文："我蒋中正情愿娶你宋美龄为妻，从今以后，无论安乐患难，健康疾病，一切与你相共，我必尽心竭力爱你，保护你，终身不渝，上帝实临鉴之。这是我诚诚实实地应许你的，于今特将此戒指授与你，以坚此盟。"接着，由新娘读誓文："我宋美龄愿意遵从上帝意旨嫁你蒋中正，以你为夫，从今以后，无论安乐患难，健康疾病，一切与你相共，我必尽心竭力的敬你，爱你，保护你终身，上帝实临鉴之。这是我诚诚实实地应许你的，于今特将此戒指授与你，以坚此盟。"最后是证婚人余日章宣读告文："蒋中正先生，

宋美龄女士，今日在上帝前和蒋、宋二府亲友前交换戒指，互立盟约，结为夫妇，我于今特郑重宣告他们二人已正式成为夫妇。”接着余作祷告，于是大礼告成。

胡逸民三次下狱

刘麟书

永康人胡逸民，早年跟随蒋介石。“四·一二”后，蒋在上海搞“清党”，胡任审判委员会委员长兼江苏第一监狱署署长，生死牌与勾魂票，都掌握在他手里。胡声势煊赫，盛极一时。

胡逸民半生浮沉，建造了三座监狱，又坐过三次监牢，真是中国历史上的怪事！他在蒋介石营垒中是个开明派。他说重刑之下的口供不足凭信，草菅人命的事他不做。胡在办案时，释放过好多共产党人和民主人士。某些死硬派说他同情共产党，受共产党操纵，任用共产分子等等，以种种罪名，到蒋介石那里告他的状。不久，蒋撤销其职务并予以拘留，经张群出面讲情才得释放。他由南京回浙江永康，途经杭州又被诬告为通匪，被浙江军事厅押至陆军监狱坐牢，经李烈钧、邵力子力保才被释放。之后责令他回南京，重任总部监狱科科长，这是他第一次坐牢。

第二次坐牢是在江西南昌绥靖公署的北营

场监狱。1934年蒋在江西“围剿”红军,设行营于南昌。不知是谁背后捣鬼,在蒋面前进谗。蒋电令他赴赣,7月23日到南昌,立即撤销其所有职务,将之关押在北营场监狱。这次坐牢时,他结识了革命先烈方志敏,并为人民革命事业,做了一件大大的好事。他从国民党禁卫森严的监狱中,把方志敏烈士气壮山河、字字珠玑的遗著——《可爱的中国》的手稿,完美无损地交给了胡子婴同志(章乃器之妻),然后转交给宋庆龄,继而又转交给中共中央。

第二次出狱后,胡逸民看清了蒋介石的为人,在南京创办了竝耕农庄,弃甲守业,实现他“心积和平气,手成天地功”的愿望。抗日战争开始,南京沦陷,他回到浙江,在永康、金华等地搞永华公司经营纱布针织品生意。其时沦陷区与非沦陷区做生意一般都以白银、铜元交易,不用纸币。因白银铜元是军用物资,他就被军统以资敌罪名作汉奸论,受到通缉,逼得他到处逃亡。抗战胜利,蒋介石回到南京,责问他如何不去重庆,指为通敌。1947年由南京最高法院判刑十年,关押在老虎桥监狱,这是他第三次坐牢。

他造的三座监狱:第一座是在第二次北伐军攻下徐州时造的徐州军人监狱。第二次造的是湖北汉口军人监狱。第三次造的是南京中央军人监狱。

曹炳章与“醒狮牌雪耻丹”

王致涌

曹炳章字赤电，又名琳笙。浙江鄞县人。幼随父来绍兴，后进中医铺为学徒。他虚心拜师求教，认真精研医理，并多方搜集珍稀的中医善本、抄本，曾主编了中国历史上最辉煌的医药文献丛书——《中国医学大成》，凡二千零八十八卷，四千余万字。

曹炳章在悉心从事中医理论研究的同时，也十分注意实践。他与著名中医何廉臣合办了“和济药局”，将过去中药撮取煎服的方式，改革为中成药出售，研制了多种丸散膏丹，其中最有名的要数“醒狮牌雪耻丹”。民国初年，日本趁欧洲列强忙于第一次世界大战之际，加紧对中国的经济侵略，大量日货充斥市场，日本“翘胡子牌仁丹”在我国大量倾销。有感于此，曹炳章在中国古代方剂的基础上，结合自己的丰富经验，精心研制了价廉效高的一种丹药，定名为”醒狮牌雪耻丹”，包装袋上还印了说明，呼吁“爱国爱身者注意”，使用国货以抵制日货。“雪耻丹”投放市场后，深受民众欢迎，争相购买，一度抵制和削弱了日本仁丹在中国市场上的倾销，成为我国医药史上的一段佳话。

美丽牌香烟美人头像税

周采泉

镇海陈楚湘，在上海创办华成烟厂，是年为甲子，因以"金鼠"名牌。值五卅惨案发生，全国激于义愤，一致排外，拒吸英美烟草公司生产之烟，佥以吸"金鼠"为荣，"金鼠"一跃而独占上海卷烟市场。而"金鼠"属于中低档烟，仅能与英美烟草公司之"老刀牌"(或"强盗牌")相等。陈楚湘意欲再出一种高级烟，可与南洋烟草公司之"白金龙"相等者，而苦于无吸引人之商标。偶过照相馆，见馆中大橱窗陈列一半身美人像，"刘海"复额，圆领，珍珠项链，装束入时，因向照相馆买回半身头像，用以作为商标，定名"美丽"，配以"有美皆备，无丽不臻"八字标语，大做广告。不数月"金鼠"之地位，让与"美丽"，获利无算。楚湘初以为此一头像不外乎名伶或名妓，即使被认出，也仅花一笔钱了事，殊不知此为上海法租界公董局董事魏廷荣(朱葆三女婿，上海之"大亨")所金屋藏娇之吕美玉也。经查明陈楚湘自照相馆买得照相，未经本人同意，擅作为卷烟商标，以侵犯人权案向法院起诉，要求赔偿精神损失费，并立即停止使用商标。陈楚湘不敢怠慢，其他条件都可接受，惟卷烟打出一只商标不易，

定须继续使用。经调解协商，每出一箱烟，肖像费一包，每年须交吕美玉黄金二百两。吕美玉坐享这笔“人头税”，前后数十年，真可谓“摇钱树”矣。后来“华成”公私合营，厂名及商标转让与港商，闻“美丽”牌香烟又出过一段时期。至今“美丽”之商标，在“瘾君子”脑海中或尚记忆，而对吕美玉其人，及此一宗“公案”者，知者恐已不多了。

汉奸市长何瓒被诛记

洪昌文

1938年6月，伪“杭州市政府”成立，曾留学日本的原国民政府外交部参事何瓒（字希甫，福建人），卖身投靠，粉墨登场，当上了敌伪时期首任伪杭州市长。何上台后，卖力地为日本帝国主义建立“大东亚共荣圈”的殖民政策服务。国民党“中统”浙江站对他十分注意，派行动组成员陈夏中、吴荣才二人去刺杀何瓒。

陈、吴二人受命后，于1939年1月潜入杭州，寻找机会下手。1939年1月22日傍晚，陈夏中、吴荣才等租了一辆西子汽车出租公司的小轿车来到积善坊巷八号“何公馆”，手持“苏浙皖绥靖司令徐朴诚”的名片要求见“何市长”，何的一个保镖看到来头很大，便点头哈腰地连称

"在,在!"带他二人进去,穿过院子,走向客厅。其时何正和家人在客厅吃晚饭,见有人朝他走来,便站了起来。陈夏中递上名片问道:"你是何市长吗?"何答:"是。"陈即拔出手枪朝何连开三枪,何应声倒在桌子下,何的家人和保镖被这突如其来的情景惊呆了。陈、吴二人见何瓒已被打中,就迅速朝大门口跑,吴边跑边掏出一颗手榴弹,拉开导火线,回身投向客厅。一声巨响,何瓒的妻子、子女数人均被手榴弹炸伤。何瓒立即被送往医院抢救无效,当夜毙命。

科场一字风波

汪振国

国民政府每两年要举行一次高等文官考试。有一年,考试国际法,试题拆封分发后,有考生起立问监试的监试委员:"试题中的地域权的'域'字,是否系'役'字之误?"按国际公法或国际私法中,均无"地域权"这样名词与概念。监试委员明知是误书,但不敢正面作答,因为试卷从命题、选题、审定、缮印、复核、密封都是经过典试委员会的,不经过该会的复审,监试委员是无权作答的,只好含糊其词说:"试卷缮印后经典试委员会复阅密封,地域的'域'字是否有误,监试委员与试务处均无权作答,应试诸生如认为题中的

'域'字确为'役'字之误,则按'役'字作答亦无不可。"因有此一说,在考生中引起一片混乱。在全国性的高等文官考试上,试题竟发生如此的错误,影响极坏。事后,考试院院长戴传贤、典试委员长钮永建、考选委员会委员长王用宾报请国民政府严加议处。经1936年国民党中央政治会议第四次会议议决,分别给予有关人员以罚俸申诫处分,并饬兹后不得再有任何差误发生。

日寇在衢州施放鼠疫之善后

胡才甫

1941年3月,有一天,日机空袭衢州,在城上空盘旋数匝后飞走。第二天,西门某家的露天大金鱼缸里发现有稻谷、麦子等东西浮在水面上。半个月后,这家有人突然患病,一会儿发热,一会儿寒战,经医治无效死去。病疫逐渐蔓延开来。经卫生机构检验,确认是鼠疫。衢城先后发现腺鼠疫、肺鼠疫、败血性鼠疫。疫情严重,死者日增。专员兼保安司令鲁忠修召集卫生、公安及地方士绅紧急开会,商定成立衢州防疫会,设检验、治疗、埋葬、隔离及消毒等组,进行防疫工作,并电请在福建的防疫大队移驻衢县,主持防治。

防疫会规定:发现病人,先通知检验组予以详细检验,随即由治疗组进行治疗。如治疗无效死亡，不许家属自行殡葬，由埋葬组在山坡上挖一丈以上的穴予以埋葬，并撒下漂白粉等药物，然后封坟。死者家属不许住在家里，由隔离组予以隔离、移住江心的大船上，观察一个月，如无问题，才准回家。死者的住屋由消毒组给予彻底消毒，封门上锁，在一定时期内，不许任何人进入。为了防止死者家属私自埋葬，把棺材店里的棺材加以登记，不准私卖。为了防止疫病向外地蔓延，封闭铁路衢州站，不许行旅在该站上下，火车经过衢城时，紧闭车窗，疾驰而过。

经过防疫大队的积极防治和防疫会的工作，疫情逐渐得到控制，到夏末秋初，疫病基本停止。当年死亡人数为三百人左右。

张 啸 林

张宗祥 遗稿

张啸林，或曰少陵，名寅，杭州小流氓也。陆佑之语予，尝为其家佣工，后乃流荡闾巷间，犯案累累，杭不能居，逸至申，仍作拆梢讹诈生活。沪有弄堂饭店，为诸无赖伙食聚会处，一日有操北音者食于斯，饭毕会账，手入袋中，则已空无所有，知被窃去，语饭店主，请至寓取钱相偿，店主欺其北人，大声斥曰："此非白吃之地，不必装佯。"店中饮食者，大半主人之党，围而相诟骂，几至用武。张啸林适至，问何事，众告以故，张啸林问客，何不携钱入饭店，客曰："实携钱，为贼所窃，致无以偿。"问所食几何，主人曰："千二百余文。"啸林故曰："此小事，不必相责难，钱我代偿，客请行矣。"客大感激，必欲知姓名。则曰："我张啸林也。"事遂解。啸林在沪，杂处诸流氓中，终碌碌无所表暴。辛亥革命后数年，何丰林任淞沪护军使，突有中央军部电，嘱觅张啸林其人者，资遣赴京。何命人邀之，啸林惧，谋之同俦。或曰："护军使如欲缉君，不必使人相邀，直械击可耳，今来邀，或当有事需君，不妨去见。"啸林思之良是，即随使者赴军署。至则何命副官长待客厅中。见而语之故，且已具书购车票备旅资，即促啸林行。啸林梦梦然不知所可，即亦趋车站乘车赴京。按地址投一大宅，门房见其刺，立肃入客厅，状甚恭。主管者出，延之坐，招待极周，语之曰："已电话告部长，部中事繁，须中午方能来，请小憩。"已而部长至，执手言欢，状至亲热，又屡道感激意，而啸林固不认其人，且亦不解所言也。部长见其茫然若甚窘者，乃告之曰："我即数年前饭店中被困之人也，感君高义，屡思图报，君今何欲，请相告，当为尽力。"啸林悟，则曰："一字不识，文武皆无所可，且小事亦不敢望报。"部长察其粗犷，乃曰："我当具书致何护军使，请代位置，君至此，可略事游览而归。"即命一副官为伴，游数日，给资备函，送其南行。何丰林得部长书，思之累日，委之为暗探。

自此遂与杜月笙相结，共分贩卖烟土之利，而势力亦与杜相颉颃，且能结识北洋军阀矣。部长者，或曰即段芝贵也。啸林即一跃为上海巨头闻人之一。沦陷时，浙伪省长汪瑞闿死，啸林欲代之，事已就绪，志益得，气益骄。某晨，汽车司机者忤其意，凭楼栏张口大詈之，司机者急拔手枪击之，弹从口入，贯颅，立毙。

犬养毅南京祭奠中山先生

张任天

1929年，总理孙中山先生奉安，我以国民党中央党部征审主任兼任奉安大典的外宾招待委员会主任，负责接待外宾前来吊唁的事情。有一天，门卫打电话进来，说：外边有两个人要进来吊唁，因事先没有通知，门卫不允许他们进入，叫我去处理。我随即佩上“外宾招待委员会主任”的白绫胸签出去，到了大门口，见殷汝耕陪同犬养毅在门外等候，我就意识到犬养毅前来吊唁，于是，我责备殷汝耕：你这个人做事怎么这样糊涂，既然犬养毅先生要来，你应事先打电话来告诉我们，我们可以前来迎接，现在害得他在这里耽搁了半个小时；一方面向犬养毅表示歉意。随即领他们去总理灵堂。本来在灵堂守灵的有孙科、蒋介石等五人，当犬养毅来祭奠时，竟无一人在侧。

中山先生奉安典礼追忆

沈松林

1929年6月1日，南京举行“总理奉安”典礼，我以大学生代表之一，参加护灵，在三牌楼国民党中央党部见到孙中山遗容。由北京来的专业人员抬棺柩，上面是玻璃板。几十个大学生执绋护送，棺柩前有黑色的活动帷幕，其中随行的是宋庆龄三姐妹和孙科，一律穿黑色丧服。沿途遇到机关、团体、居民和外宾的路祭时，宋庆龄等还礼答谢。人们见到孙中山遗容时，失声痛哭频频挥泪，显示了孙中山的伟大是深入人心的。到达中山陵已是下午3时左右。灵堂设在约160米的山坡上，走上去的石阶有368级。前面一人拍手板，抬的人有节奏地一步一步向上走，棺柩平稳，大家跟着送进灵堂，就向孙总理遗体告别，含泪而退，望着孙中山生前手书“天下为公”四个大字，离开了中山陵。

泰戈尔怀念杭州

魏风江

1933年底，我被派往印度留学。我初到国际大学，首先晋谒印度诗人泰戈尔时，受到他的热烈欢迎。泰戈尔一听到我是中国杭州人，显得很高兴。他回忆起1924年4月游历杭州时的情景，连声说道："美丽的西湖，美丽的杭州！"泰戈尔在和我谈杭州的时候，叫他的服务员哥宾杜，从他的书室中拿来两张照片，一张是他泛舟在西湖上，一张是他和随行的人员，站在写有"孤山"两个大字的石碑前。他指着照片上的中国作家，问我有认识的吗？显然他深切地怀念着这些人。他对我说："轻舟荡漾在西湖中，凭着船沿，悠然望见山顶的尖塔，我乐如中国画中的古贤。"他又说："西湖山水秀丽，可惜不能在山麓觅一小室居住，欣赏朝夕不同的湖光和山色。"他说记得西湖有一个画家和诗人组成的团体，那都是中国第一流的艺术家，他到杭州时，曾受到他们热情的招待。他说的显然是指西泠印社。他在社里见到了多幅布局宏伟、笔力雄健的山水画和缜密富丽、栩栩如生的花鸟画，他认为那都是些非常成功的作品。他说把字作为艺术品是中国所特有的，即使是不识中国字的外国人，也能领会到一直一横的挺秀和矫健。他又提到中国精美的金石刻印，说这又是中国所特有的艺术品。他说他还保存一位中国金石家送赠他的两小方石印，上面都刻着“竺震旦”三个字，这是梁启超给他取的中国名字。他还说，在杭州喝过一种绿色的茶叶，十分清香，滋味甘鲜，离开中国以后，就喝不到了。他又说道：“我在北京看到了很宏伟的古迹，也看到与古城相配的朴素敦厚的北京人民。我在杭州看到了秀丽的西湖，也看到与湖山相称的文静优雅的人民。”泰戈尔最后说道：“有印度高僧终老在杭州，有印度名山兀立在杭州。你是一个杭州人，现在来到了印度，使我感到很高兴。”泰戈尔对杭州的真挚感情，还表现在他书室内的装饰上。他书室的墙上挂有两幅中国山水画，画有松荫亭榭，小桥流水，亭中有老翁执卷坐读，画中的景色，不全像是西湖的，可是他平日与我谈西湖时，目光总瞥在这两幅画的上面，显出留恋的表情。

鲁迅灵柩上的绸幛

姚士彦

1936年10月19日，鲁迅先生在上海逝世。鲁迅先生的治丧委员会由知名人士组成，上海各界救国联合会推常务理事沈钧儒、李公朴二人参加治丧委员会。衡老(沈钧儒)很细心,他发现直到出丧前一天(10 月 21 日)下午四时,覆盖灵柩用的绸幛和出丧的乐队都还没有准备好,嘱咐我马上去办,务于第二天上午九时前办好。我当时任"上海各界救国联合会"干事,衡老所嘱当然义不容辞。衡老说:"绸幛应该怎样,乐队应该怎样,原都应由治丧委员会决定,现在来不及了,你一定去办好。"

那时我只是个二十三岁的青年,劲头十足,虑事却很不周到。领命之后,倒有些为难了,鲁迅先生这样伟大的人物,该用怎样的绸幛覆盖灵柩呢?用青天白日满地红国旗,虽然很庄严,但决不是鲁迅先生乐意的;用斧头镰刀的红绸,也不恰当;用蓝绸嵌上一个金色大奠字,太一般了,……反复思考,决定用大幅白绸,上饰"民族魂"三个黑色大字。就立刻去汉口路申报馆隔壁一礼品局赶制。那一带是当时上海礼品局集中处所,这一家是"职救"理事周肇基的亲戚所设,周在店内有一小写字间,我常去,很熟,老板、伙计都同情抗日救亡运动。在我要求之下,连夜做成黑丝绒包制 40 厘米见方的"民族魂"三个大字,缀在大幅白绸上,庄严得体而有新意,这样的礼品当时约值法币四至五元,可老板连成本费都不肯收,只说:"也表示我们一点心意。"可惜他的姓名已无法查考了。

绸幛送去,深得衡老赞许,治丧委员们也都认为合适。出丧时覆盖在鲁迅先生灵柩上,到万国公墓时，巴金等十二位文化界名人抬棺入穴，绸幛的白底黑字庄严肃穆，在灰淡的云彩下显出一种特殊的悲壮气氛。

乐队也是那位老板代请的，一个八人乐队，执鼓、号等西洋乐器，能吹奏各种西方哀乐曲调，作为出丧队伍前导也还合适，收费十二元，是周肇基垫付的。

冯玉祥讲抗日老泪纵横

秉 威

1936年，冯玉祥任军事委员会副委员长，住在南京。是年冬某日，冯乘车来到四方城侧的遗族学校。校当局通知全校学生在礼堂集合。校务主任张效良陪着一位穿着朴素的高个子大汉出现在讲台上。张效良介绍说："这位是冯焕章先生，军委会副委员长，大家欢迎他给我们讲话。"他穿的是一身蓝色土布缝制的中式短装，就像一个普通老百姓。讲话时既无随从在场，也不就座，就是一个人站在讲台右侧讲，给人以亲切谦和之感。

他讲话不到半小时，主旨是呼吁全国上下团结一致共同抗日。他说："你们的父兄当年都是北伐健儿，为了国民革命的胜利，抛头颅，洒热血，效死疆场。今天我们国家受日寇欺凌，辽

宁、吉林、黑龙江、热河的人民已做了亡国奴,华北各省岌岌可危, 国将不国, 怎么还忍心打内战?你们应继承父兄遗志,保卫祖国,参加抗日救亡运动。"当他谈到东北人民在日寇铁蹄下的苦难生活时,不禁眼泪夺眶而出,老泪纵横。

蒋经国在南昌的一些活动

姚士彦

1937 年冬, 从苏联回国的蒋经国出任江西保安处副处长。蒋经国在南昌大半年,除任保安处副处长外, 还兼过江西省政治讲习学院总队长、临川新兵督练处处长、伤兵管理处处长等职,所到之处,不摆架子,官兵一体,平易近人。后又调任赣州行政督察专员。

这段时间我也在南昌, 亲眼看见过蒋经国的一些活动。我所在的单位是以熊式辉兼团长,王枕心为总干事的江西省青年服务团。这个团,接受平津和华东各省战地流亡来内地的学生和青年近两千人。由王枕心、夏征农、冯琦、刘九峰等组成领导核心,夏是共产党员,冯是中统江西负责人,刘是倾向进步的民主人士,是名副其实的"统一战线"。1937 年 11 月至 1938 年 2 月在南昌集训,其后分编为十个大队,分驻江西十个行政专区的首县。大批具有进步思想的外省青年下县下乡，对于红军长征以后被土匪、特务、土豪劣绅盘踞的江西农村——特别是赣南原苏区震动很大。由于种种原因，到 1938 年 7 月份即缩编为六个战地工作队，分驻赣北沦陷及半沦陷县，一部分团员去延安，去新四军，一部分团员被三、九两战区的“干训团”收编，到 1938 年年底已名存实亡。

团的“领导核心”都想拉住蒋经国，集训期间多次请他“上大课”，记得有一次蒋经国说：“我们反对右倾，不谈左倾，只要前进，前进就是团结抗日，打败日本帝国主义，收复一切失地！”又从袋里摸出四个鸡蛋和三个西餐桌上的小木杯，说：“三个木怀分开了只能盛 3 个蛋，合在一起就可盛 4 个，所以团结才有力量。”这些话很能吸引听众，因而满堂鼓掌。

1937 年旧历大年除夕，蒋经国派车把王枕心、夏征农、刘九峰等十余人接到他在四纬路的公馆吃年夜饭，我也在内。蒋经国长袍便服，其夫人蒋方良也穿着旗袍，夫妇亲自招待，态度和蔼，酒菜丰盛，蒋方良还讲了一句生硬的中国话：“大家请多多的吃。”我叨陪末座，很感新奇。酒过三巡，王枕心讲话，才知道他们要发起组织一个为抗日救亡服务的政团——民社，这次年夜饭就是讨论发起人名单及缘起宣言，王枕心最热心，蒋经国也起来讲了一段话，内容仍为“非左非右，前进，团结抗日，收复失地”。还加了一句“建设新中国”。夏征农加了些阐述，说团结应有具体内容，抗日救亡之外，应以建设孙中山先生提出的实现三大政策的三民主义新中国为目标。大家决定以上述意见为宣言内容，以在座的全体人员加上青年服务团未出席的几位大队长为发起人。然而年夜饭之后，再无人谈论此事，“民社”二个字，只是昙花一现而已。

在圣雄甘地家里

魏风江

1937年4月，国际大学暑假开始，泰戈尔知道我久有访问甘地的愿望，就嘱我在假期内去华尔达拜望甘地，并向甘地报告中国学院4月14日举行成立典礼的盛况。我于20日从加尔各答坐一日一夜火车到华尔达，下车后即雇一辆马车，经过广阔的草原，终于抵达了撒伐格兰姆村，即甘地的住处。有人领我先谒见甘地的秘书马赫代夫·德赛先生，受到他的热烈欢迎。德赛与我谈话半小时后，即领我去见圣雄甘地。

甘地的家是一幢低矮的平屋，室内一片泥地，陈设简朴。小窗边是一个地铺，地铺上有张低低的小方桌。桌前盘膝坐着一位肩披白布，戴着眼镜埋头在写作的老人，一望便知那就是仰慕已久的圣雄甘地。德赛先生轻轻走上前去，俯身在甘地耳边低低地讲了几句，甘地就仰起头来向我一看，微笑着招手，指着身边，叫我坐下。我本来想对他行摸足的大礼，这样就简单地双手合十，坐在他身旁，甘地仍是俯首写个不停。

我偷眼看他在写些什么，他用我所不懂的乌尔都文写着，顷刻之间，写满四五张纸，所谓这四五张纸，全是一些又破又皱的废纸。相传甘地专从垃圾堆拣废纸写作的，果然如此。

他用的是一支锈烂的蘸水钢笔。曾有一个美国来访者送他一支派克金笔，他立即把金笔转赠给了另一位来访者；他的墨水瓶是一个小小的玻璃瓶，恐怕也是从垃圾堆中拣来的。

我环顾他的房间，有点像杭州农村中的泥屋，我倒很想看看屋角中有没有锄头镰刀之类的农具，可是整个屋中竟空无一物，后来我知道隔壁有卧室和灶房。

他好容易停笔了，把泰戈尔的介绍信看了一下，然后卸下眼镜，微笑着向我全身打量了一下，就说，“你真勇敢，你们中国人从没有来过这里啊。以前在萨巴玛蒂，有一个中国青年来看过我，不久就离去了。他留给我的印象很好，所以我相信中国青年大多热情、真诚。我很欢迎你来，告诉我一些中国目前的情况吧”！

我本想在他那里住两三天就走，不料被甘地和他的夫人柯斯杜白奶奶一留再留，竟住了五个月。我曾有四五次跟甘地去参加各种聚会。印度国民大会的领袖如尼赫鲁等来甘地住处开会的时候，我曾协助做接待工作；每天屋子里里外外，我都打扫得干干净净，至于院子里的几棵小树，早晚都由甘地自己浇水，他不准别人代劳。我还曾在他所创办的真理学院，与贱民同学相处得很好，这个真理学院以解放贱民，培养独立运动干部为主旨，我在真理学院与贱民共同生活与学习，使甘地非常高兴。

泰戈尔虽然来信，叫我不妨在甘地身边多住些时候，但我恐耽误学业太多，就决定于10月间回桑蒂尼克坦国际大学。动身的时候，甘地赠我一个给中国青年的祝愿，他是用英文写的，译文是：

我的心常挂念着中国青年，
在那困难的年代他们前进。
我深信他们会成功，
由于他们优良的德性。

尼赫鲁关怀中国留学生

魏风江

1934年3月的一天，印度独立运动领袖尼赫鲁和夫人卡玛拉来国际大学看望泰戈尔。我和同学们到波尔浦火车站用校车接他们来校，车子一直开进泰戈尔住宅乌大阳。泰戈尔端坐在台阶上迎候着。

尼赫鲁夫妇下车后，直奔泰戈尔坐处，恭恭

敬敬地行了触足礼,先用手摸长者之足,后将手收回摸自己的额角。

尼赫鲁夫妇对泰戈尔敬之若生父，因为尼赫鲁的父亲摩梯拉尔·尼赫鲁是和泰戈尔同年同月同日所生的。

在泰戈尔把我介绍给尼赫鲁的时候，他亲切地对我说:“难得有一个中国学生在国际大学。”他希望我好好学习,将来为促进中印人民友好团结做些工作。

1937年我在华尔达圣雄甘地处，也曾有三次见到尼赫鲁来看望甘地,见到我时,总对我表示关怀和期望,并赠我不少书籍,他对我讲的有段话是这样的:

“桑蒂尼克坦国际大学是个读书的好地方，但要了解真正的印度,须在华尔达。”

可是他又说:“国际大学旨在实现泰戈尔的教育理想,遵循印度传统的教育方式,培养学生的民族自尊心，以便能无私地献身于祖国的独立斗争,这和你们中国教育家的理想是一样的。青年人能身受诗哲的熏陶,是无限幸福的。”

我的同学英迪拉

魏风江

1934年第二学期，我们孟加拉文学班上忽然多了一位女同学,她面色白皙,身材瘦长,她的一双大眼睛好几次朝着我看,显然她发现我不像个孟加拉的青年。

同学们告诉我,她是印度独立运动领袖尼赫鲁的女儿英迪拉。

英迪拉住宿在泰戈尔的住宅乌大阳,乌大阳离我的住处塔塔别尔亭只有两百多米,我常去看望泰戈尔,因此我也常见到英迪拉。我和英迪拉就很快熟悉起来。

英迪拉与泰戈尔的孙女南地妮常常要我讲中国故事,于是我把《三国演义》和《水浒传》变成了讲故事的蓝本,有时还讲徐文长的故事。她们有时也讲些故事给我听,是取材于拉摩耶那和摩诃勃拉塔,说实话,我很少能对她们所讲的感到兴趣。

1935 年的下半学期,英迪拉因她母亲病重,就回去了。1937 年 4 月 14 日,中国学院举行成立典礼,她代表她父亲尼赫鲁又回校了,我和她并肩坐在泰戈尔身边,聆听泰戈尔致词。泰戈尔的讲题是《中国与印度》,在提及重点的时候,泰戈尔的目光常注视在我和英迪拉身上。

五天以后,英迪拉和我一起到多儿多答泰戈尔的老家柔伦刹柯,次日我告别了她,就动身去华尔达访问圣雄甘地。

1945 年,圣雄甘地遇刺,我从上海给尼赫鲁去信吊唁,后来竟接到英迪拉的一封信,除报告我甘地遇刺后的一些情况外,还略述别后挂念之意,我回一信,从此杳无音讯。

与真纳先生的一次会晤

魏风江

1937年8月,我在印度华尔达的撒伐格兰姆村圣雄甘地的住处,有幸见到巴基斯坦的谛造者——穆汗莫德·阿里·真纳先生。他是个参加国民大会的回教徒代表。

时真纳先生年仅四十余岁,身材高大,面色白皙,上唇有短须,双目炯炯有神。他头戴白色甘地帽,穿一件长及膝盖的白衫和一条紧裹双脚的白长裤,完全是典型的回教徒打扮。他说话时那种和蔼的态度、平静的语调,显示出他平易近人。

经人介绍以后,他用两只巨大的手捧住我合十的双手,亲切地说道:“你远离祖国到印度学习,是难能可贵的,伊斯兰文化与印度教文化构成整个印度文化。现代的印度文化,要比你祖先玄奘所探求的那个印度文化复杂而丰富多了,不知你的兴趣在哪一方面?”我说:“我的兴趣是印度历史和文学。”并向他说了一些我在国际大学的学习情况。他听了非常高兴,说了很多鼓励我的话。

1947年,英国公布“蒙巴顿方案”,把英属印度按居民宗教信仰分为巴基斯坦和印度两国，实行分治。同年8月14日巴基斯坦宣告独立，真纳任第一任总督，从此，他被誉为巴基斯坦国父。

“北佬罐”与“警报袋”

程秉荣

民国十五年(1926)，孙传芳下属孟昭月部占据建德(现梅城)时，每个士兵腰里都挂着一个搪瓷口杯，用它喝水吃饭。建德人称它为“北佬罐”(因孙部都是北方人)。后来这种杯商店里有得买了，大家不叫搪瓷杯，还是叫“北佬罐”。六十多年后，这个名称还在建德城乡使用着，但是，这个名字的来由晓得的人却不多。

抗战时期，日机经常轰炸建德城。日机飞近时，警报站就发出警报(打钟)，大家就往城外安全的地方逃。逃警报的人总要把值钱的东西装在一个袋里带在身边，当时正时兴紫色标准布，人们拿它来缝制，袋口嵌上带子，一提袋口自然拉紧，东西不会掉出来，经济实用，方便安全，一时间人手一只。因是逃警报用的，大家就称它为“警报袋”。城里一时兴，乡里也家家做起来了，出门买东西，走亲戚都少不了它。抗战胜利后，这种“警报袋”城里人不用了，连警报袋的名字也淡忘了。但在农村，用的人虽然也越来越少，但“警报袋”的名字还很响亮。

后记

自去年夏天开始，我馆馆员及浙江各地的文史工作者，为编好《新编文史笔记》的浙江卷，撰写稿件六百多篇。1992年4月，我们选了一百一十篇文章，编辑成《两浙轶事》一册。现在又选了一百一十九篇文章，编辑成第二册笔记，取名为《孤山拾零》。因为这些稿件都是从各方面汇集到我馆所在地——杭州西湖孤山，经编委们在这里选编审定，故名之。

《孤山拾零》和《两浙轶事》可称为姐妹篇，有较高的史料价值，有明显的浙江特色。按文章性质，分为钱江涛声、名人轶事、艺苑趣闻、文物拾零、民俗风情、社会百态、往事漫忆……等栏目，可谓题材广泛，内容丰富，真实可信，鲜为人知，以短见详，雅俗共赏，使读者增长知识，供学者研究参考。

一年多的时间并不算长，但是对老人来说

却是可贵的岁月。我们有位高龄馆员在前段时间还为笔记撰写稿件，但当我们在编辑《孤山拾零》时，他却已离开了人世，我们只得在他撰写的文章的署名后加上“遗稿”二字。从这一点也说明了中央文史研究馆发起编辑这套《新编文史笔记》，对抢救史料是多么的必要！

这册《孤山拾零》的编辑完成，本书的编委们付出了辛勤的劳动，赵蔚明同志为本书搜集整理材料花了很多的时间，同时还得到了特约编审解树民同志的指导，谨在此一并表示感谢。由于时间匆促，限于我们的水平，书中错误疏漏，仍恐难免，衷心期望得到广大读者的批评指正。

编　者